Maria Balì

Giovanna Rizzo

Espresso 2

Corso di italiano

Libro dello studente ed esercizi

Alma
Edizioni
Firenze

Per la preziosa collaborazione durante la produzione e sperimentazione del libro ringraziamo le colleghe ed amiche *Luciana Ziglio, Linda Cusimano, Gabriella De Rossi, Daniela Pecchioli e Mariangela Porta.*

Copertina: Detlef Seidensticker
Disegni: ofczarek!
Layout: Caroline Sieveking
Fotocomposizione e litografie: Design Typo Print

Stampa:
Printed in Italy

ISBN libro: 88-86440-35-9
ISBN libro + cd: 88-86440-37-5

Alma Edizioni
viale dei Cadorna, 44
50129 Firenze
tel/fax ++39 055476644
almaedi@tin.it
www.almaedizioni.it

Indice

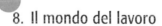

9. Casa dolce casa...

Intenzioni comunicative

esprimere necessità, desideri; descrivere una casa; fare supposizioni e motivarle;
addurre argomenti a favore e contro qualcosa

Grammatica

il congiuntivo presente dei verbi in *-are*, *-ere* e *-ire* e di alcuni verbi irregolari;
l'uso del congiuntivo per esprimere necessità, speranza e un'opinione personale;
bello; il periodo ipotetico con il gerundio; comparativo (*più ... che*)

E inoltre...

parlare dei mobili e dell'arredamento di una casa

10. Incontri

Intenzioni comunicative

chiedere scusa; raccontare cosa succede in un momento preciso; esprimere interesse;
stimolare la conversazione; esprimere la propria opinione

Grammatica

stare per + infinito; *mentre/durante*; passato prossimo dei verbi modali;
non sopporto che + congiuntivo / *non sopporto quando* + indicativo

E inoltre...

Eri piccola così (canzone)

Introduzione

Cos'è Espresso.

Espresso è un corso di lingua italiana per stranieri diviso in tre livelli. Si basa su principi metodologici moderni e innovativi, grazie ai quali lo studente viene messo in grado di comunicare subito con facilità e sicurezza nelle situazioni reali.

Particolare rilievo viene dato allo sviluppo delle capacità comunicative, che sono stimolate attraverso attività vivaci, coinvolgenti ed altamente motivanti, poiché centrate sull'autenticità delle situazioni, sulla varietà e sull'interazione nella classe. Allo stesso tempo, non è trascurata la riflessione grammaticale né mancano momenti di sistematizzazione, di fissazione e di rinforzo dei concetti appresi. Espresso è inoltre ricco di informazioni sulla vita e sulla cultura italiana. Per la sua chiarezza e sistematicità, Espresso si propone come uno strumento semplice e pratico da usare da parte dell'insegnante.

Com'è strutturato Espresso 2.

Espresso 2 è il secondo volume del corso e si rivolge a studenti di livello post-elementare/intermedio. Offre materiale didattico per circa 60 ore di corso (più un eserciziario per il lavoro a casa). È composto da un libro, un CD audio e una guida per l'insegnante.

Il libro, che riunisce in un unico volume sia le lezioni per lo studente che gli esercizi, contiene:
- 10 unità didattiche (libro dello studente)
- 10 capitoli di esercizi (eserciziario)
- 4 unità ludiche di revisione (facciamo il punto)
- un compendio di grammatica
- un glossario per lezione e un glossario alfabetico
- le chiavi degli esercizi

Il CD audio contiene:
- i dialoghi e gli altri testi auditivi
- le canzoni **La gatta** e **Eri piccola**

La guida per l'insegnante contiene:
- l'illustrazione del metodo
- le indicazioni per svolgere le lezioni
- le chiavi delle attività

A studenti e insegnanti auguriamo buon lavoro e buon divertimento con **Espresso.**

Autrici e casa editrice

La famiglia

1 La famiglia fa notizia

Collega le foto all'articolo corrispondente.

a.

b.

c.

d.

e.

f.

○ **Nonni a scuola dai nipoti oggi lezione di Internet**

Nove scuole, 900 anziani, 900 ragazzi Obiettivo: creare in un anno un giornale online

○ **Auto nei parcheggi il centro è dei papà**

Domenica senza traffico per la festa del papà

○ **Fratello e sorella si ritrovano dopo 47 anni**

Dopo quasi mezzo secolo l'incontro

○ **Donne in carriera l'ora del dietrofront**

Una su 4 torna a casa per i figli e il marito

○ **«Attenti alle baby-sitter la mamma è una sola»**

Studio di «help me»: i piccoli passano gran parte della giornata con le «nanny» o davanti alla tv

○ **Bambini a letto tardi per guardare la tv**

I genitori dicono: «Così ho più tempo da passare con lui.»

2 Completa la lista

Qui di seguito trovi un elenco incompleto di nomi che riguardano la famiglia.
Con l'aiuto dei titoli di giornale, cerca quelli che mancano e inseriscili nella tabella.

i _____	il nonno	la nonna
i _____	il _____ / il padre	la _____ / la madre
i _____	il figlio	la figlia
i fratelli	il _____	
le sorelle	la _____	
i _____	il nipote	la nipote
gli zii	lo zio	la zia
i cugini	il cugino	la cugina
	il _____	la moglie

E 1

3 Trova un titolo

In coppia scegliete una foto e inventate un titolo.

4 Vive ancora con i genitori

CD 1

A una festa Valentina racconta a Peter della sua famiglia.
Ascolta il dialogo e segna se le seguenti affermazioni sono vere o false.

	sì	no
a. Valentina abita a Milano da meno di otto anni.	☐	☐
b. Tutta la famiglia di Valentina vive a Roma.	☐	☐
c. Valentina è la più giovane della famiglia.	☐	☐
d. Una delle due sorelle di Valentina è casalinga.	☐	☐
e. Il fratello di Valentina è andato a vivere da solo.	☐	☐
f. Solo la sorella più grande è sposata.	☐	☐
g. Valentina ha un solo nipote.	☐	☐

Adesso completa il dialogo, poi riascolta e controlla.

■ Sei di Milano anche tu?

▼ No, sono di Roma, però abito qui già

   da _____ anni. Tu invece?

■ Io sono qui da quasi otto anni.

▼ Ah, da solo o con la tua famiglia?

■ Da solo, e tu?

▼ Anch'io. La mia famiglia vive a _____.

■ Oh, hai sorelle?

▼ Sì, due sorelle e un fratello.

■ Oh! Una famiglia numerosa! Io invece sono figlio unico.

   E tu sei la più giovane?

▼ _____, io sono la _____. La più grande ha 36 anni,

   la seconda 34 e mio fratello Marco 26.

■ E che fanno?

▼ Ma ... la più grande è _____,

   l'altra fa la _____ e mio fratello studia ancora.

■ E vive con i tuoi genitori, immagino.

▼ _____, ma in Italia è normale.

■ E perché secondo te è normale?

▼ Mah, un po' per cultura, per abitudine

   e un po' per motivi economici. Di solito sono i ragazzi che restano a casa,

   forse perché sono più mammoni.

■ E le tue sorelle sono sposate?

▼ La più grande _____ e ha anche _____ _____, l'altra invece vive con il

   suo ragazzo.

5 Completa

Cerca nel dialogo le forme dell'aggettivo possessivo e inseriscile nello schema seguente.

	singolare		plurale
maschile	*femminile*	*maschile*	*femminile*
(il) _____	(la) _____	i miei	le mie
(il) tuo	(la) _____	i _____	le _____
(il) _____	(la) sua	i suoi	le sue

E 2

6 Quanti siete in famiglia?

Intervista un compagno. Domanda...

se è sposato/-a,
se ha figli/nipoti/cugini ...,
i nomi dei suoi familiari (genitori, fratelli, sorelle),
l'età e la professione dei familiari.

Durante l'intervista disegna il suo albero genealogico e poi confrontati con lui.

> la sorella **più** giovane – **la più** giovane
> il fratello **più** piccolo – **il più** piccolo

7 Chi di voi ha ...?

Lavorate in piccoli gruppi e attraverso domande appropriate cercate la persona che ha...

a. la famiglia più numerosa
b. la mamma più giovane
c. il/la nipote più piccolo/-a
d. la famiglia più piccola
e. i genitori più lontani
f. il nonno più anziano
g. i nonni più giovani
h. il papà più giovane

Quante persone siete in famiglia?

E 3

Leggi la lettera di Andrea.

Camerino, 19/03/2002

Carissimo Dario,

ma che fine hai fatto? È da un secolo che non ti fai sentire! Per fortuna, ogni tanto, in palestra incontro tuo cognato Franco che mi tiene al corrente di quello che combini (è lui che mi ha raccontato che ti sei trasferito e mi ha dato il tuo nuovo indirizzo). Mi ha anche detto che due settimane fa ti sei laureato. Beh, complimenti! Io invece ho lasciato gli studi e mi sono dedicato ad altre cose. La più importante la vedi dalla foto. Ebbene sì, mi sono sposato. Io che ho sempre detto «mai e poi mai!». Ma che vuoi fare, quando l'amore arriva ... Comunque sono contentissimo, Mara è veramente una persona in gamba, e poi è bellissima!
Quelli accanto a me sono i miei suoceri (a proposito, Mario, mio suocero, è un vecchio amico di tuo padre!). La bambina davanti a mia sorella Silvia è sua figlia, Flavia. Incredibile no? Anche mia sorella si è sposata! Suo marito non lo vedi perché è lui che ha fatto la foto. Con un po' di fantasia forse riesci anche a trovare mio fratello Gianni. Trovato? È quello con la barba dietro alla ragazza bionda (la sua compagna). Il bambino che lei ha in braccio è il loro secondo figlio, che tra l'altro si chiama come te.
Come vedi, qui ci sono tantissime novità e siccome non ti posso raccontare tutto per lettera ci devi venire a trovare.
Allora ti aspetto, anzi ti aspettiamo!

Andrea

P.S. Hai ancora la tua vecchia 500 o ti sei deciso a cambiare macchina?

Rileggi la lettera e individua nel disegno le seguenti persone:
Andrea, Mara, Mario, Silvia, Flavia, Gianni e Dario.

Quali espressioni usa Andrea nella lettera per dire ...

a. dove sei, che cosa fai? _____

b. è da tanto tempo che _____

c. mi informa _____

d. quello che fai _____

e. hai cambiato casa _____

f. sono molto felice _____

g. una persona capace, brava _____

| sua figlia |
| suo marito |
| la sua compagna |

(il) nostro	(la) nostra	i nostri	le nostre
(il) vostro	(la) vostra	i vostri	le vostre
il loro	la loro	i loro	le loro

E 4

 Riflettiamo

Rileggi la lettera, sottolinea tutti gli aggettivi possessivi e completa
poi la tabella segnando con una X la risposta esatta.

In italiano, generalmente, davanti agli aggettivi possessivi

	c'è l'articolo	non c'è l'articolo
con i nomi di parentela al singolare	☐	☐
con i nomi di parentela al plurale	☐	☐
con tutti gli altri sostantivi	☐	☐
In italiano davanti all'aggettivo possessivo «loro»	☐	☐

10 Mio, tuo, ...

Si gioca in piccoli gruppi con un dado. A turno i giocatori lanciano il dado e avanzano di tante caselle quanti sono i punti indicati sul dado. A ogni numero del lancio corrisponde anche un aggettivo possessivo: 1 mio, 2 tuo, ecc. Compito dei giocatori è quello di formare una frase con il vocabolo indicato e il relativo possessivo. Se la frase è corretta il giocatore avanza di un'altra casella, altrimenti retrocede di una. Vince chi arriva prima al traguardo.

E 5·6·
7·8

11 Si è sposato ...

Nella sua lettera Andrea usa alcuni verbi riflessivi al passato.
Cerca e scrivi queste forme accanto all'infinito.

trasferirsi: _____	sposarsi: _____
laurearsi: _____	decidersi: _____
dedicarsi: _____	

sposarsi
mi sono sposato/-a
ti sei sposato/-a
si è sposato/-a
ci siamo sposati/-e
vi siete sposati/-e
si sono sposati/-e

Che cosa noti? Parlane con un compagno e poi in plenum.

 12 Cerca una persona che ...

Intervista i tuoi compagni. Attenzione: non puoi fare più di tre domande a persona.
Vince chi, allo stop dell'insegnante, fornisce la lista più completa.
Scrivi il nome della persona che...

a. lo scorso fine settimana si è divertita tantissimo.   _____

b. sabato scorso si è alzata presto.   _____

c. si è sposata da poco tempo.   _____

d. si è trasferita in una nuova città da meno di due anni.   _____

e. si è laureata con il massimo dei voti.   _____

f. oggi si è svegliata tardi.   _____

g. lo scorso fine settimana non si è riposata per niente.   _____

h. oggi si è arrabbiata molto.   _____

i. si è dedicata per anni allo studio del pianoforte.   _____

E 9·10·11

 13 Una lettera

Immagina di mandare a un amico che non vedi da molto tempo una foto attuale della
tua famiglia. Descrivila e racconta che cosa è cambiato negli ultimi tempi per te e per la
tua famiglia.

CD 2

*Prova a inserire nello schema la percentuale che ritieni probabile
fra quelle qui sotto.*

il 3,9%

l'11,3%

il 70,2%

il 58%

il 77,3%

il 42,9%

il 65%

GENITORI VICINI E LONTANI

Tra i figli che non vivono più con la madre, la vedono tutti i giorni

incontra la madre almeno una volta a settimana

dei coniugati al di sotto dei 65 anni vive entro 1 km dalla casa della madre

vive nello stesso caseggiato

vive nella stessa abitazione

la sente per telefono una o più volte a settimana

dei maschi   delle femmine

Ascolta l'intervista e confronta le tue risposte con i dati menzionati.

Segna, tra le parole e le espressioni che seguono, quelle che compaiono nella registrazione.

convivenza	☐	fenomeno del mammismo	☐
famiglia allargata	☐	coppia	☐
famiglia di fatto	☐	famiglia di origine	☐

*In coppia provate a spiegare il significato delle parole elencate sopra
e confrontate poi in plenum.*

Ascolta nuovamente e segna la risposta esatta.

Secondo il professor Frisinghelli:

Gli italiani sono legati alla famiglia di origine   per tradizione. ☐
    per motivi economici. ☐

Di solito in Italia i figli vanno a vivere da soli   a 21/22 anni. ☐
    dai 27 anni in poi. ☐

Negli ultimi anni ci sono stati dei cambiamenti   nel rapporto con la famiglia di origine. ☐
    all'interno della coppia. ☐

15   E voi?

In gruppi di tre rispondete alle seguenti domande.

a. I vostri genitori / figli vivono nella vostra città?
b. Se sì, dove vivono? Nello stesso quartiere? Nello stesso caseggiato?
c. Quante volte alla settimana o al mese vi vedete?
d. Quante volte alla settimana telefonate ai vostri genitori / figli?
e. C'è, secondo voi, una differenza tra i figli maschi e le femmine?

C 12

E INOLTRE...

1   Un regalo di nozze

Ascolta il dialogo e rispondi.

Cosa pensa di regalare Tina ad Alessandra e Rolando?
Come trova Sandra l'idea di Tina?
Cosa propone Sandra a Tina?
Che regalo vuole Tina per il suo matrimonio?

Prova a completare il dialogo con le seguenti espressioni.

> dei soldi   dei soldi
>
> viaggio di nozze   lista di nozze
>
> lista di nozze   anonimo

▼ Tina, hai già comprato il regalo per Alessandra e Rolando?

◆ No, non ancora, anche perché penso di regalargli _____.

▼ _____? Mah, io lo trovo un po' _____ da parte di

un'amica. Scusa, perché non gli prendi qualcosa dalla _____?

◆ Mah, non so, questa abitudine della _____ ...

▼ Sì, va be', però così evitano di ricevere delle cose che non gli piacciono!

◆ Sì, in effetti. Io però quando mi sposo mi faccio regalare i soldi per il

_____!

Riascolta e controlla.

2   Quale regalo per gli sposi?

Qual è secondo voi il regalo di matrimonio più adatto? Parlatene in piccoli gruppi anche in base alle vostre esperienze personali.

Per comunicare

Vivi da solo o con la tua famiglia?
Hai / Ha sorelle / fratelli?
Io sono figlio unico / figlia unica.
Sei / È il/la più giovane?

Sei / È sposato /-a?
Quante persone siete in famiglia?

Ma che fine hai fatto?
È da un secolo che non ti fai sentire!

Io mi sono sposato /-a.
I miei si sono trasferiti.
Lui / Lei si è laureato /-a in matematica.

Quello accanto a me è mio fratello.
La bambina davanti a me è mia nipote.

Grammatica

Aggettivi possessivi

singolare		plurale	
il mio		i miei	
il tuo		i tuoi	
il suo	orologio	i suoi	occhiali
il Suo		i Suoi	
il nostro		i nostri	
il vostro		i vostri	
il loro		i loro	
la mia		le mie	
la tua		le tue	
la sua	scuola	le sue	vacanze
la Sua		le Sue	
la nostra		le nostre	
la vostra		le vostre	
la loro		le loro	

Gli aggettivi possessivi concordano in genere e numero con i nomi a cui si riferiscono. Di solito sono preceduti dall'articolo determinativo.
Suo significa sia "di lui" che "di lei" e concorda con il nome che accompagna, non con la persona. Lo stesso vale anche per suoi, sue ecc.

Barbara ha portato **il suo** libro.
Carlo ha portato **il suo** libro.

Con i nomi di famiglia (madre, padre, fratello, sorella ecc.) non si usa l'articolo determinativo insieme all'aggettivo possessivo. Eccezione: loro (il loro fratello, la loro nonna).

Superlativo relativo

La sorella più grande è sociologa.

Il superlativo relativo esprime il grado più alto di una qualità. Si forma così: articolo + nome + più o meno + aggettivo.

Il passato prossimo dei verbi riflessivi

Luca **si** è sposato.
Maria **si** è sposata.
Marco e Franco **si sono** trasferiti.
Laura e Stefano **si sono** trasferiti.
Teresa e Chiara **si sono** trasferite.

Il passato prossimo dei verbi riflessivi si forma con l'ausiliare essere. Il participio concorda quindi in genere e numero con il soggetto.

Perché – siccome

Suo marito non lo vedi **perché** ha fatto la foto.

Siccome non ti posso raccontare tutto per lettera, ci devi venire a trovare.

Da piccola ...

 1 I bambini e gli animali

Leggi il seguente articolo.

2

E i bambini ci chiedono di proteggere gli animali.

Secondo l'Eurispes è cresciuta la coscienza "animalista". Il più amato il cane, il più temuto il serpente

... Secondo l'Eurispes quasi tutti i bambini vorrebbero avere un animale e, anche se l'animale preferito resta sempre il cane (a chiederlo è un bambino su cinque), molti si indirizzano su altre specie. Le femmine, più dei maschi, amano i gatti, al secondo posto nella classifica dell'Eurispes (14,2 %). Seguono poi il cavallo, le tigri, gli uccelli, i leoni e i delfini.

A essere accontentati sono in molti: quasi tutti hanno o hanno avuto un animale in casa (81,7 %). Cani e gatti in maggioranza, ma tra le quattro mura domestiche trovano ormai spazio anche tartarughe (14,5%), criceti (10,6%), conigli (4,8%). Solo un bambino su cinque non ha mai avuto un animale.

Ma non c'è solo l'avere. C'è anche l'essere. E potendo trasformarsi in un animale, un bambino su cinque vorrebbe essere un uccello e quasi uno su dieci un cane. L'8,8% vorrebbe essere un leone e l'8,2% un gatto. Seguono il delfino (6,8%), il ghepardo (4,4%) e il cavallo (4,1%). I maschi si identificano molto più delle femmine con animali "forti" come il leone o il ghepardo, mentre le bambine vorrebbero essere un animale elegante come la farfalla.
Il serpente rimane l'animale più odiato dalla maggioranza dei bambini.

(da *la Repubblica*, 28/07/2000)

Nel testo compaiono diversi nomi di animali. Trovali e scrivili sotto il disegno corrispondente.

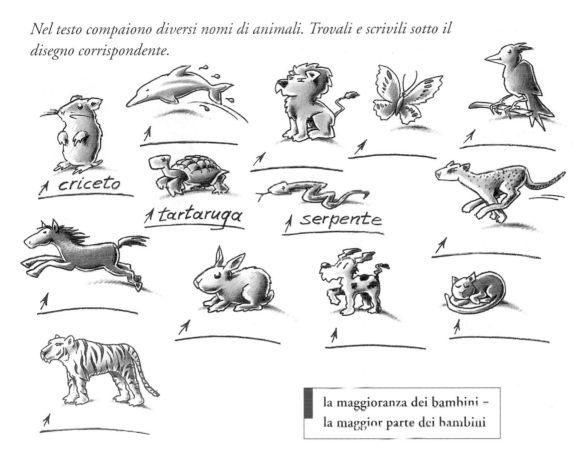

criceto

tartaruga

serpente

la maggioranza dei bambini –
la maggior parte dei bambini

E 1

2 Il vostro sondaggio

In piccoli gruppi fate un sondaggio e prendete nota. Riferite poi i risultati in plenum.

Quali sono secondo voi gli animali più diffusi nel vostro Paese?
Avete un animale? Se sì, quale?
Qual è il vostro animale preferito?
Quale animale non vi piace per niente e perché?

3 Da piccola avevo un cane

CD 4

Laura e Sandra sono in giro per fare spese. Ascolta la loro conversazione e di' se le seguenti affermazioni sono vere o false.

	sì	no
a. Il gatto di Sandra si chiama Felix.	☐	☐
b. A Laura non piacciono i gatti.	☐	☐
c. Laura non ha mai avuto un animale.	☐	☐
d. Sandra da piccola non viveva in città.	☐	☐
e. Secondo Laura la città non è adatta agli animali.	☐	☐

■ Laura, dopo mi ricordi di comprare da mangiare per Felix?

▼ Ah, questo Felix! Non ti sembra di viziarlo un po' troppo?

■ No, perché?

▼ Mah, forse lo dico perché io sono allergica ai gatti.

■ O a tutti gli animali.

▼ No, non è vero! A me gli animali piacciono!
Da piccola avevo un cane, si chiamava Romeo,
era un cane intelligentissimo. Pensa che la mattina
mi svegliava, mi accompagnava a scuola e quando
tornavo a casa mi aspettava dietro la porta, incredibile,
riusciva a riconoscere il rumore dell'autobus della scuola!

■ E ora perché non hai più animali?

▼ Mah, non lo so ...

■ È un peccato però, perché gli animali portano armonia in casa.
Noi avevamo tantissimi animali: cani, gatti, uccelli, tartarughe.

▼ Eh sì, però voi vivevate in campagna, secondo me in città gli animali soffrono!

■ Mah, dipende! Felix è contento! E poi anche il tuo cane era contento con te, no?

▼ Eh, sì, hai ragione ...

Nel dialogo compare una nuova forma verbale al passato, l'imperfetto. Cercane le forme e scrivile accanto all'infinito.

avere	*avevo – avevamo*	tornare	_____
chiamarsi	_____	aspettare	_____
essere	_____	riuscire	_____
svegliare	_____	vivere	_____
accompagnare	_____		

4 Da piccolo ...

Michele e Clara parlano della loro infanzia. Che cosa raccontano?

Michele
vivere in campagna in una grande fattoria ·
essere bellissima · avere tanti animali ·
giocare tutto il tempo all'aperto ·
divertirsi tantissimo · avere anche
un cavallo · chiamarsi Furia

Michele racconta: Da piccolo vivevo ...

Clara
abitare in città · trascorrere i pomeriggi
quasi sempre a casa · non avere animali
perché noi non avere spazio in casa ·
in estate però andare dai nonni in campagna ·
lì giocare con i loro animali

Clara racconta: Da piccola abitavo ...

E ora racconta tu dell'infanzia di Michele e Clara.

Da piccolo Michele viveva ...
Da piccola Clara abitava ...

aspett**are**	viv**ere**	riusc**ire**	**essere**
aspett**avo**	viv**evo**	riusc**ivo**	ero
aspett**avi**	viv**evi**	riusc**ivi**	eri
aspett**ava**	viv**eva**	riusc**iva**	era
aspett**avamo**	viv**evamo**	riusc**ivamo**	eravamo
aspett**avate**	viv**evate**	riusc**ivate**	eravate
aspett**avano**	viv**evano**	riusc**ivano**	erano

E 2·3·
4·5

5 E tu?

*Rispondi alle domande. Poi fai le stesse domande
a un compagno.*

Quando eri piccolo/-a ...

	io	il mio compagno
dove vivevi?		
avevi un animale?		
se sì, quale?		
come si chiamava?		
com'era?		
avevi amici che avevano animali?		
ai tuoi piacevano gli animali?		

6 Niente animali in casa!

CD 5

*Cinzia vorrebbe avere un animale, ma suo marito Pietro non è d'accordo. Ascolta il
dialogo e segna con una X i motivi per cui Pietro è contrario.*

Pietro sostiene che gli animali ...

a. hanno bisogno di molto spazio. ☐
b. non gli piacciono. ☐
c. hanno un cattivo odore. ☐
d. sono pericolosi. ☐
e. sporcano in casa. ☐
f. possono rompere gli oggetti che sono in casa. ☐
g. hanno bisogno di cure. ☐
h. sono un problema, quando si vuole andare in vacanza. ☐

7 Animali pro & contro

E voi? Siete favorevoli o contrari ad avere animali in casa? E i vostri familiari?
Discutetene in piccoli gruppi.

Io sono favorevole/contrario (-a) perché secondo me ...

8 Tu dove andavi in vacanza?

CD 6

Giovanni chiacchiera con la sua collega Marina.
Ascolta il dialogo e rispondi alle domande.

Che cosa faceva normalmente d'estate Giovanni? _____

Che cosa ha fatto a 13 anni? _____

Secondo Marina, prima il concetto di vacanza era diverso. Perché? _____

_____

■ Giovanni, tu dove andavi in vacanza da bambino?

▼ Mah, veramente noi non andavamo in vacanza, perché non avevamo bisogno
di partire per andare al mare ...

■ Beh, chiaro ...

▼ Sì, normalmente l'estate restavamo a casa, i miei avevano una cabina in un lido
e così tutte le mattine si prendeva la macchina, si andava in spiaggia e si restava
lì tutto il giorno. Per noi ragazzini comunque era un po' come una vacanza
perché avevamo i nostri amichetti, giocavamo.

■ E non avete mai fatto una vacanza diversa?

▼ Solo una volta, quando avevo 13 anni, siamo andati una settimana in montagna,
in Val d'Aosta, a trovare degli amici di mio padre. Sì, è vero, quella è stata
la prima volta che siamo partiti veramente per le vacanze.

■ Mah, io penso anche che la gente prima aveva un concetto diverso di vacanza,
nel senso che andare in vacanza non significava necessariamente andare lontano.
Oggi invece è diverso.

9 Normalmente ... una volta ...

Cerca nel dialogo le forme che vengono usate per esprimere un'azione abituale e quelle usate per esprimere un'azione che ha avuto luogo una sola volta e scrivile qui di seguito.

normalmente

_____

_____

_____

_____

_____

_____

_____

una volta

_____

_____

_____

_____

_____

_____

_____

10 Quando?

Completa con le espressioni di tempo mancanti.

Giovanni racconta:

Noi non andavamo in vacanza. _____ _____ restavamo a casa.

_____ _____ si prendeva la macchina, si andava in spiaggia e si restava lì

_____ ___ _____ . Solo _____ _____ , _____ avevo _____ _____

siamo andati in montagna. Quella è stata ___ ___ ___ _____ che siamo partiti

veramente.

Marina pensa che _____ la gente aveva un concetto diverso di vacanza.

> **Normalmente andavamo** al mare.
> **Una volta siamo andati** in montagna.

E 6·7·8

11 E voi?

E voi dove trascorrevate le vacanze di solito? Ricordate di aver fatto una vacanza diversa da quelle abituali? Parlatene in coppia.

▼ normalmente/di solito/da piccolo (-a)/da bambino (-a) andavo ...
◆ una volta/a 13 anni/nel 1998/6 anni fa sono andato (-a) ...

Un'intervista sull'infanzia

La scrittrice Dacia Maraini ha intervistato, nel corso della sua carriera, diversi personaggi noti. Le sue interviste sono state raccolte nel volume «E tu chi eri? 26 interviste sull'infanzia». Qui di seguito trovi parte dell'intervista fatta alla scrittrice Natalia Ginzburg. Leggila.

D. *Ripensi con piacere alla tua infanzia?*

R. Ci penso poco. Ma quando ci penso, lo faccio con piacere.

D. *Hai avuto un'infanzia felice?*

R. In un certo senso sì. La cosa che più mi tormentava era la sensazione di essere poco amata in famiglia. Mi ricordo che inventavo le malattie per attirare l'attenzione su di me. Volevo stare male e invece stavo sempre bene.

D. *In che rapporti eri con i tuoi?*

R. Avevo un padre severo che faceva delle tremende sfuriate. Poi c'erano le liti fra me e i miei fratelli. Le liti fra mio padre e mia madre. (...)

D. *Com'eri da bambina? Che carattere avevi?*

R. Ero abbastanza allegra, ma non molto vivace, non molto loquace.

D. *Eri una bambina chiusa?*

R. Sì. (...)

D. *Hai sempre vissuto a Torino durante l'infanzia?*

R. No. Sono nata a Palermo. Ma di Palermo non ricordo niente. Sono andata via che avevo tre anni. I miei ricordi risalgono ai sette anni. (...)

D. *Ti piaceva andare a scuola?*

R. No. Proprio l'anno che sono andata a scuola sono cominciate le mie malinconie. Sentivo che le altre ragazze erano amiche fra loro. Mi sentivo esclusa.

D. *Ti piaceva studiare?*

R. No. Studiavo male. L'aritmetica per esempio non la capivo per niente. Ero brava in italiano. Facevo dei temi lunghi e molto accurati.

D. *Cos'è che ti faceva soffrire di più nella scuola?*

R. La noia. Mi ricordo una noia mortale. (...)

D. *Quando non studiavi, cosa facevi? Dello sport?*

R. No, odiavo lo sport. Mio padre mi costringeva a fare le scalate in montagna. Io ci andavo, ma a denti stretti. Ho finito con l'odiare ogni tipo di sport.

D. *E allora cosa facevi?*

R. Scrivevo. Fino a diciassette anni ho scritto poesie, poi racconti.

D. *Non andavi mai al cinema, a ballare?*

R. Sì andavo alle festicciole da ballo in casa di amici. Ballavo male, ma mi divertivo. In fondo preferivo stare a casa a leggere, però.

D. *Cosa leggevi?*

R. Romanzi.

D. *Quali sono i primi romanzi che hai letto?*

R. I romanzi russi: Dostoevskij, Tolstoj, Gogol.

D. *Cosa pensavi di fare da grande?*

R. La scrittrice. Oppure il medico. Volevo fare tutte e due le cose. (...)

(da *E tu chi eri? 26 interviste sull'infanzia* di Dacia Maraini)

Ecco alcune informazioni sull'infanzia di Natalia Ginzburg. Alcune sono giuste, altre no. Quali, secondo te?

		sì	no
a.	Era molto spesso malata.	☐	☐
b.	Suo padre si arrabbiava raramente.	☐	☐
c.	Non ricorda molto della città dove è nata.	☐	☐
d.	Ha lasciato Palermo quando aveva sette anni.	☐	☐
e.	A scuola si annoiava molto.	☐	☐
f.	Nel tempo libero andava volentieri in montagna.	☐	☐
g.	Ballava volentieri.	☐	☐
h.	Leggeva e scriveva molto volentieri.	☐	☐

> Pensi con piacere **alla tua infanzia**?
> **Ci** penso poco.

E 9·10·11

13 La vostra intervista

Intervista un tuo compagno e chiedi...

dove è nato/-a,
se ha sempre vissuto nella stessa città,
se gli/le piaceva andare a scuola,
se gli/le piaceva studiare,
qual era la sua materia preferita,
che cosa non gli/le piaceva della scuola,
quando non studiava, che cosa faceva,
cosa pensava di fare da grande.

fare
facevo
facevi
faceva
facevamo
facevate
facevano

14 Un concorso letterario

Immagina di partecipare a un concorso letterario intitolato «Ricordi d'infanzia». Racconta per iscritto di una persona importante nella tua infanzia, com'era, cosa faceva, ecc.

E 12

E INOLTRE...

  1 La gatta

CD 7   *Ascolta la canzone e senza leggere il testo di' a quale dei due disegni si riferisce.*

Completa il testo con i verbi al tempo giusto, poi riascolta e verifica.

C'_____ una volta una gatta   *essere*

che _____ una macchia nera sul muso   *avere*

e una vecchia soffitta vicino al mare

con una finestra

a un passo dal cielo blu.

Se la chitarra _____   *suonare*

la gatta _____ le fusa   *fare*

ed una stellina _____ vicina vicina   *scendere*

poi mi _____   *sorridere*

e se ne _____ su.   *tornare*

Ora non _____ più là   *abitare*

tutto _____ non _____ più là.   *cambiare, abitare*

_____ una casa bellissima,   *avere*

bellissima come _____ tu.   *volere*

Ma io _____ a una gatta   *ripensare*

che _____ una macchia nera sul muso,   *avere*

a una vecchia soffitta vicino al mare con una stellina,

che ora non _____ più.   *vedere*

© by BMG Ricordi S.P.A.

Per comunicare

Da piccolo avevo un cane.
Dove andavi/andava in vacanza da bambino?
Normalmente andavamo al mare.
Una volta siamo andati in montagna.
A 13 anni sono andato in vacanza da solo.

La gente prima aveva meno soldi per viaggiare.

Dove sei nato(-a)?/Dov'è nato(-a)?
Com'eri/Com'era da bambino?
Hai/Ha sempre vissuto a Roma?
Ti/Le piaceva andare a scuola?
Cosa facevi/faceva nel tempo libero?
Cosa pensavi/pensava di fare da grande?

Grammatica

L'imperfetto

Forme: vedi l'appendice della grammatica a pag. 199.

L'imperfetto si usa per raccontare azioni abituali nel passato.

La mattina **andavamo** in spiaggia.
Quando **tornavo** a casa mi **aspettava** dietro la porta.

Inoltre l'imperfetto si usa per descrivere le caratteristiche di persone o oggetti e anche situazioni nel passato.

Romeo **era** molto intelligente.
I miei genitori **abitavano** in campagna.

La particella *ci*

Pensi spesso **alla tua infanzia**?
Sì, **ci** penso spesso.

*Ci può riferirsi a una cosa o a una persona e sostituisce complementi introdotti dalla preposizione **a**.*

Uso del passato prossimo e dell'imperfetto

Il passato prossimo si usa per esprimere un'azione del passato che si è conclusa.

Siamo andati una settimana al mare.

Con l'imperfetto si esprime invece un'azione del passato con una durata indeterminata.

In spiaggia **giocavamo** con gli altri bambini.

*Il passato prossimo esprime un'azione che è accaduta una sola volta, l'imperfetto descrive invece un'azione che si ripete regolarmente. In questo caso insieme all'imperfetto si usano avverbi come **normalmente, di solito** ecc.*

Normalmente l'estate **restavamo** a casa.

Una volta siamo andati in montagna.

2

Facciamo il punto

Si gioca in gruppi di 3 – 5 persone con 1 dado e pedine. Ogni giocatore mette la sua pedina su una casella a scelta. A turno si lancia il dado. Si avanza in senso orario di tante caselle quanti sono i punti indicati sul dado. Su ogni casella è scritto un verbo o una locuzione temporale. Il giocatore arrivato su una casella deve formare una frase affermativa o interrogativa al passato prossimo o all'imperfetto contenente sia la parola (verbo o locuzione temporale) della casel-la su cui si trova sia la parola della casella prece-dente o seguente. I numeri 1 – 6 indicano: 1 = io, 2 = tu, 3 = lui, lei, 4 = noi, 5 = voi, 6 = loro. Se gli altri giocatori ritengono che la frase sia esatta, prende un punto. Se un partecipante pensa invece che il giocatore abbia fatto un errore, deve indicarlo e correggere la frase; in tal caso riceve un punto. Dopo un certo periodo di tempo l'insegnante interrompe il gioco. Vince chi ha più punti.

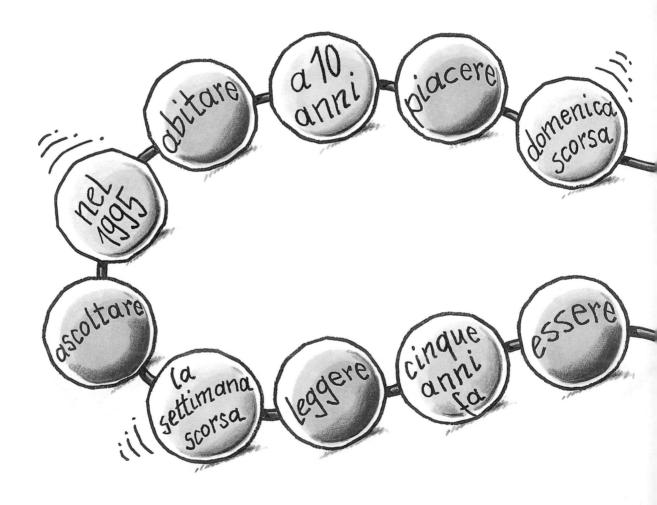

Non è bello ciò che è bello...

1 Com'è?

è alto   è basso

è giovane   è vecchio

è grasso

è magra

ha i capelli corti   ha i capelli lunghi   è bionda

ha i capelli lisci   ha i capelli ricci   ha gli occhi azzurri

è calvo   porta gli occhiali   ha i capelli bianchi   è castano   ha la barba   ha i baffi

2 Chi è l'intruso?

Nel gruppo di Marina ci dovrebbero essere sei persone, però ce ne sono sette.
Leggi le descrizioni dei partecipanti alla visita turistica e scopri chi è l'intruso.

a.   b.   c.   d.   e.   f.   g.

☐ È alta, magra e molto bella. Ha i capelli neri, lunghi e ricci e gli occhi azzurri.

☐ È alto, un po' grasso, ha i capelli e gli occhi castani e porta gli occhiali. Non è molto giovane ed è sempre elegante.

☐ È giovane, abbastanza alta, né magra né grassa, ha i capelli corti, biondi e gli occhi verdi. Porta quasi sempre i jeans.

☐ È una persona anziana, bassa, magra, un po' calva. Ha la barba e gli occhiali.

☐ Non è né alta né bassa, abbastanza magra, ha i capelli e gli occhi neri, non è più giovane, ma ancora molto sportiva.

☐ È alto, magro, sportivo e attraente. Ha i capelli neri non molto corti e gli occhi azzurri.

E 1

| né ... né |

3 Il personaggio misterioso

In piccoli gruppi scegliete un personaggio famoso e descrivetene l'aspetto fisico. Gli altri gruppi dovranno indovinare, attraverso delle domande, di chi si tratta.

4 Un tipo interessante

CD 8

Ascolta il dialogo e decidi quali dei seguenti aggettivi si riferiscono a Luis e quali a Giorgio.

Luis

Giorgio

	Luis	Giorgio
carino		
interessante		
aperto		
divertente		
vanitoso		
simpatico		
timido		
sensibile		
intelligente		
noioso		
bruttino		
grasso		

3

■ Catia, perché non sei più venuta alla festa sabato?

▼ Non ce l'ho fatta. Il concerto è cominciato tardi
ed è finito a mezzanotte e mezza.

■ Peccato! È stata una bella festa. Ho pure conosciuto
il nuovo ragazzo di Sandra, uno spagnolo.

▼ Ah, e com'è? Carino?

■ Molto, assomiglia un po' a Pedro, l'insegnante di spagnolo.

▼ Però! E che tipo è?

■ Beh, mi è sembrato un tipo interessante, aperto, divertente, forse un po' vanitoso.

▼ Insomma, tutto il contrario di Giorgio!

■ Perché? A me Giorgio è simpatico, è un po' timido, però in fondo è una persona
sensibile, intelligente, sa suonare il violino…

▼ Sì, però è noioso! E pure bruttino…

■ Mah, io non lo trovo affatto brutto, forse è un po' grasso.

▼ Va be', lasciamo perdere Giorgio. E senti, che cosa fa questo … come si chiama?

E 2·3

■ Luis. Mah, è venuto qui in Italia per fare un master, però adesso ha finito.

▼ E che fa? Torna in Spagna?

■ Penso di no. Mi ha detto che ha cominciato a lavorare da poco in uno studio
pubblicitario.

> | farcela |
> |---|
> | Non **ce la faccio** a … |
> | Non **ce l'ho fatta** a … |

Quale dei due ragazzi inviteresti a cena a casa tua? Perché?

5 Ho cominciato a …

*Scrivi 4 cose che hai cominciato a fare o finito di fare e
4 cose che sono cominciate o finite. In coppia leggete le frasi
e dite se sono corrette.*

> | |
> |---|
> | Il concerto **è** cominciato. |
> | Il concerto **è** finito. |
> | **Ha** cominciato a lavorare. |
> | Luis **ha** finito l'università. |

L'anno scorso ho cominciato un corso di salsa.
Il corso di italiano è cominciato due mesi fa.

Ieri ho finito di lavorare alle 20.00.
Il film è finito tardi.

E 4

Giorgio **sa** suonare il violino.

6 Cosa sa fare?

*Segna con una X le cose che secondo te sa fare il tuo compagno e
verifica poi se le tue ipotesi sono vere o false.*

Il mio compagno / la mia compagna sa ...

suonare il pianoforte. ☐   parlare almeno due lingue straniere. ☐

guidare la motocicletta. ☐   giocare a golf. ☐

cucinare. ☐   suonare la chitarra. ☐

sciare. ☐   cantare. ☐

disegnare bene. ☐   fare un tiramisù. ☐

usare bene il computer. ☐   cucire. ☐

E 5

7 Fotografie

Come trovi queste persone? Parlane con un compagno.

a.

b.

c.

d.

e.

f.

3

La Zezé

Leggi il seguente testo.

La Zezé è nera, panciuta, larga di fianchi e magra di spalle e di gambe, con dei piedi ossuti, larghi e piatti. È alta quasi quanto me e dice che io sono la più alta di tutte le signore che ha avuto. Arriva a mezzogiorno con le sacche della spesa. Quando piove ha un impermeabile finta tigre. Per fare le faccende si mette in testa un fazzoletto a turbante. È nata nel Capo Verde, ma è cresciuta in casa d'una zia a Torpignattara.

Non le piacciono le donne alte. Lei è alta ma ben proporzionata, ha le gambe sottili per sua fortuna, io non le ho tanto sottili per mia disgrazia. (...) Trova che io mi pettino male. Così come mi pettino con i capelli tutti puntati in cima alla testa, si vede troppo la mia faccia magra, con le occhiaie e le rughe. Lei ha la faccia piena e non ha bisogno di nasconderla coi capelli. I suoi capelli sono ricci, crespi e gonfi, li taglia ben corti (...). Ha i capelli ancora tutti neri per sua fortuna. Io invece di capelli bianchi ne ho tanti, e chissà cosa aspetto a tingerli, non si sa.

Io sul momento sono la sua sola signora. Prima di venire da me va in piazza San Cosimato, un'ora da Egisto, dove non c'è niente da fare perché Egisto è pulito e preciso, poi due ore al piano di sotto da Alberico e lì c'è un casino. Né da Egisto né da Alberico ci sono signore.(...) Dopo che è stata da me va ancora a stirare da un architetto, e anche lì non ci sono signore. A lei piace il lavoro quando c'è almeno una signora.

Viene da me a mezzogiorno e se ne va alle quattro e mezzo. Alle quattro dovrebbe andare a prendere Vito all'asilo, ma non le va di andarci. Vito è troppo vivace e lei non ha voglia di corrergli dietro per strada. Non le piace portare a spasso bambini.

(da *La città e la casa* di Natalia Ginzburg)

Rispondi alle domande.

a. Che aspetto ha la Zezé?
b. Che cosa non le piace della signora?
c. Che cosa fa prima di andare dalla signora?
d. Che cosa fa dopo?
e. Che cosa non le piace fare?

> **andarsene**
> Zezè **se ne va** alle quattro e mezzo.
> **Ce ne siamo andati** prima.

In che cosa sono simili e in che cosa sono diverse le due donne?
Parlatene in piccoli gruppi.

E 6·7

9 Usa la fantasia!

In che cosa sono simili queste persone?

Elisa Giulio   Francesca Marco   Michela Piero

E 8

> Luigi è alto **quanto/come** Carla.
> Carla è simpatica **come** Elena.

10 Una nuova conoscenza

Scrivi una lettera al tuo migliore amico. Racconta di una persona che hai conosciuto da poco. Descrivi com'è, cosa fa, in che cosa siete simili, in che cosa siete diversi.

3

11 E adesso che facciamo?

CD 9

Teresa e Beatrice sono alla ricerca di una nuova compagna di viaggio. Ascolta il dialogo e indica, per ognuna delle persone nominate, i motivi per cui viene esclusa.

	non è molto flessibile.
	non vuole lasciare i figli da soli.
Patrizia	non sopporta il caldo.
Carla	ha paura degli scorpioni.
Anna	non va in vacanza senza il fidanzato.
Paola	non dorme volentieri in tenda.
	è in vacanza nello stesso periodo.

▲ Allora, è sicuro eh, Eleonora non può venire!

▼ Accidenti! E adesso che facciamo? Ormai abbiamo preso i biglietti!

▲ Dobbiamo trovare qualcun'altro.

▼ Sembra facile! Trovare qualcuno per una vacanza nel deserto con tenda e sacchi a pelo! A me, così, su due piedi, non viene in mente nessuno.

▲ Mah, potremmo chiedere a Patrizia.

▼ Figurati! Primo non sopporta il caldo, e secondo non andrebbe mai in vacanza senza il suo Luigino!

▲ E Carla?

▼ Carla non lascerebbe mai i bambini per quattro settimane.

▲ Potresti chiedere a tua sorella Anna.

▼ In quel periodo è in vacanza anche lei.

▲ Paola, allora!

▼ Paola?? Ma stai scherzando? Paola non dormirebbe mai in tenda, lo sai che vede scorpioni dappertutto! No, no, Paola no, non è la persona giusta, non è abbastanza flessibile.

▲ Ho trovato! Chiediamo a Gabriella!

▼ Hmmm, non è una cattiva idea. Proviamo a chiamarla, a quest'ora dovrebbe essere in ufficio.

> Sembra facile trovare **qualcuno**.
> Non mi viene in mente **nessuno**.

12 Riflettiamo

Nel dialogo compare un nuovo modo verbale, il condizionale. Scrivi qui di seguito le forme che trovi e poi confrontati con un compagno.

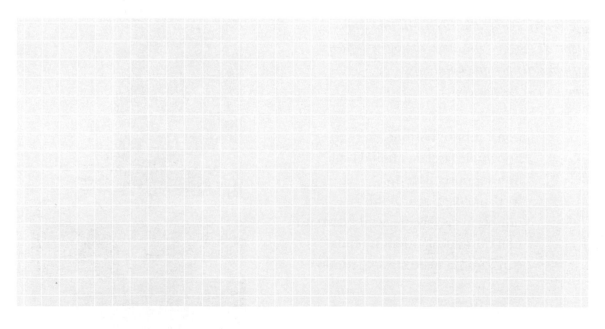

Quali, delle forme che avete trovato, sono irregolari? Confrontatevi in plenum.

E 9·
10·11

13 Un compagno di viaggio

Volete organizzare un viaggio, però non volete andare da soli. In coppia dite come dovrebbe essere il vostro compagno di viaggio. Riferite poi in plenum e formate, in base alle preferenze, dei piccoli gruppi di viaggio.

Dovrebbe ...   Non dovrebbe ...

		andare	→	andrei
		avere	→	avrei
	-ei	dare	→	darei
lavor**er**	-esti	dovere	→	dovrei
prender	-ebbe	essere	→	sarei
dormir	-emmo	fare	→	farei
	-este	potere	→	potrei
	-ebbero	stare	→	starei
		venire	→	verrei
		volere	→	vorrei

14 Quando?

Ecco alcune situazioni in cui si usa il condizionale.
Osserva i disegni e di' di quale situazione si tratta.

☐ fare una proposta   ☐ chiedere cortesemente qualcosa
☐ esprimere un desiderio   ☐ fare un' ipotesi
☐ dare un consiglio

E 12·13

15 Come reagiresti?

Cosa faresti in queste situazioni? Parlane con un compagno.

In albergo trovi uno scorpione nel letto.
Sei in campeggio da una settimana e piove tutto il tempo.
In TV c'è il tuo film preferito, ma il televisore non funziona.
Il frigorifero è vuoto, ma sono già le 23.00.
Al ristorante ti accorgi di non avere abbastanza soldi per pagare il conto.
Vuoi fare una festa, ma sotto di te abita una signora anziana che non sopporta la musica.

16 Un nuovo principe azzurro?

CD 10

Ascolta le interviste e segna con una X gli aggettivi nominati dalle intervistate.

bello	☐	divertente	☐	estroverso	☐	protettivo	☐
simpatico	☐	altruista	☐	sicuro	☐	tranquillo	☐
intelligente	☐	attivo	☐	generoso	☐	sportivo	☐
forte	☐	paziente	☐	lavoratore	☐		

Riascolta le interviste e segna con una X se le seguenti affermazioni sono vere o false.

	sì	no
a. Secondo Lina l'ideale maschile è cambiato perché sono cambiate le donne.	☐	☐
b. Una qualità importante, secondo Giovanna, è la pazienza.	☐	☐
c. Per Giovanna l'aspetto fisico conta moltissimo.	☐	☐
d. Secondo Tina l'ideale maschile delle donne italiane è cambiato solo apparentemente.	☐	☐
e. Tina sostiene che esiste una differenza tra vecchie e nuove generazioni.	☐	☐

17 Il vostro «partner ideale»

E voi avete un partner ideale? Dividetevi in due gruppi e fate un sondaggio all'interno del vostro gruppo. Un portavoce deve poi riferire i risultati alla classe.

E 14

E INOLTRE...

1 L'oroscopo

Collega i disegni al segno zodiacale corrispondente.

1. Ariete
2. Toro
3. Gemelli
4. Cancro
5. Leone
6. Vergine
7. Bilancia
8. Scorpione
9. Sagittario
10. Capricorno
11. Acquario
12. Pesci

2 Di che segno sei?

Segna gli aggettivi che descrivono il tuo carattere.

vanitoso

intraprendente   perfezionista   ottimista   allegro   geloso

possessivo   indipendente   tranquillo   pratico   emotivo   testardo

curioso

ambizioso   gentile   realista   laborioso   generoso

snob   dinamico

Cerca nella classe qualcuno che è del tuo stesso segno zodiacale.
Insieme leggete la descrizione del vostro segno e dite poi se corrisponde.

Ariete

Sempre allegro, ottimista, generoso, impulsivo, pratico, ha molto bisogno di affetto. Anche se vanitoso e piuttosto superficiale è un buon amico e un saggio consigliere. S'innamora facilmente, ma presto si stanca. Adora il cambiamento, la novità.

Toro

Testardo e chiuso, è un tesoro di affetto e di dolcezza. Pratico, laborioso e parsimonioso, ha sempre solide basi economiche ed è un ottimo padrone di casa, anche se un po' troppo perfezionista.

Gemelli

Intelligenti, indipendenti e curiosi, ma allo stesso tempo irritabili e nervosi, hanno un po' la natura del gatto e rendono molto difficile la vita a chi sta loro vicino. Hanno molti interessi intellettuali.

Cancro

Gentile e buono, delicato e fragile, ma gelosissimo, sa anche essere possessivo e prepotente. Tranquillo e laborioso vive sempre chiuso nel suo guscio, estraneo ai problemi di questo mondo.

Leone

Ha una grande vitalità. È passionale e galante. Altezzoso e vanitoso, è anche aperto e socievole. Bello e gentile, piace a molti. Ama proteggere i deboli, ma ... non fidatevi di lui.

Vergine

Seria, lenta, sospettosa, pensa cento volte prima di prendere una decisione. Costante e parsimoniosa, amante della famiglia. Buona e ragionevole.

Bilancia

Molto socievole, allegra, spiritosa, chiacchierona, sempre curata ed elegante, è una gran vanitosa. Cordiale e fiduciosa è anche molto ambiziosa e superstiziosa.

Scorpione

Vivacissimo, passionale ed emotivo, è anche terribilmente geloso e possessivo. Litigioso e sicuro di sé. Aperto, allegro, spiritoso, ha molti amici, ma anche molti nemici e non è facile vivere con lui.

Sagittario

Serio, saggio, tranquillo, deve sentirsi sempre libero e indipendente. Realista e previdente, è molto legato alle tradizioni. Gli piace la vita regolare, le sue decisioni sono sempre ragionevoli, ma non teme l'imprevisto.

Capricorno

Intelligente, intraprendente, laborioso, ha un'ottima memoria. Esigente, spesso avaro, a volte persino pessimista. Sicuro di sé, testardo, ambizioso.

Acquario

Buono, gentile, ama fantasticare. Va sempre d'accordo con tutti, ma fa quello, e soltanto quello, che vuole lui. È giusto e generoso, vive di idee e di progetti, ma manca assolutamente di senso pratico.

Pesci

Dinamici, intraprendenti e ambiziosi, sono molto tenaci nei loro progetti. Amanti della casa e della famiglia, amano, allo stesso tempo, la vita dei locali notturni: adorano ballare e divertirsi.

Per comunicare

Com'è il nuovo ragazzo di Sandra?
Non è né alto né basso.
È un tipo interessante.
Carlo è simpatico.
Laura assomiglia molto a sua madre.
Aldo sa suonare molto bene il violino.

Ce la fai ad arrivare per le otto?
No, non ce la faccio.

E adesso che facciamo? Ormai il treno è partito!
A me non viene in mente niente.
Figurati! Sabrina non verrebbe mai senza Paolo!

Grammatica

Farcela

Non **ce la faccio** ad arrivare in tempo.
Non **ce l'ho fatta** a venire.

Farcela significa "riuscire a fare qualcosa".
*Dopo **farcela** si usa **a** + infinito.*

Il passato prossimo di *cominciare* e *finire*

*Il passato prossimo di **cominciare** e **finire** si forma sia con l'ausiliare **avere** sia con **essere**.*

*Si usa **avere** quando il verbo è transitivo (cioè quando dopo il verbo c'è l'oggetto).*

Ho cominciato a leggere un romanzo giallo.
Ho finito di leggere il libro.

*Si usa **essere** quando il verbo è intransitivo (cioè quando dopo il verbo non c'è l'oggetto).*

Il concerto è **cominciato** presto.
Il concerto è **finito** alle 23.00.

Sapere

Io non **so** cucinare molto bene.

*Quando si vuole esprimere la capacità di fare qualcosa si usa il verbo **sapere**.*

Comparativo

Marco è alto **come/quanto** me.
Questa gonna è stretta **come** l'altra.

Andarsene

Me ne vado alle sei.
Se ne sono andati presto.

Il condizionale

Forme: vedi l'appendice della grammatica a pag. 201.

Il condizionale si usa,

• *per esprimere una possibilità o una supposizione:*
   Pensi che **verrebbe** con noi?

• *per esprimere un desiderio:*
   Vorrei andare al mare.

• *per chiedere qualcosa in modo gentile:*
   Potrebbe dirmi che ore sono?

• *per dare un consiglio:*
   La mattina **dovresti** alzarti prima.

• *per fare una proposta:*
   Potremmo andare in piscina!

Qualcuno – nessuno

Hai visto **qualcuno**?
No, non ho visto **nessuno**.

Appuntamenti

1 Tante idee per il tempo libero

(a.) LA COSCIENZA DI ZENO DI *ITALO SVEVO*. *Regia di Marco Missironi.* TEATRO ELISEO, Via Nazionale 183, tel. 06/48872112. BOTTEGHINO: 10-13 e 16-19. Dal martedì al venerdì ore 20.45, sabato ore 17 e 20.45, domenica ore 17, lunedì riposo.

(b.) CAFFÈ LATINO, Via di Monte Testaccio 63, tel. 06/57288556 – ore 22 musica salsa.

(c.) NOVECENTO. Le vicende dell'arte e della storia del nostro Paese in questo secolo sono riassunte in questa mostra che espone una selezione di duecentocinquanta opere. SCUDERIE PAPALI AL QUIRINALE, Via XXIV Maggio 16; tel. 06/39967500. Orario: 12-19, venerdì e sabato: 10-23, chiuso lunedì.

(d.) PICCOLA LIRICA (*TEATRO FLAIANO*), ore 20.30. Puccini, *Manon Lescaut*, regista Rossana P. Siclari, adattamento Gianna Volpi.

(e.) ACCADEMIA DI S. CECILIA (*Auditorium*), ore 21. Replica Oratorio *Le stagioni* di Haydn, direttore *W. Sawallisch*.

(f.) DOMANI *di Francesca Archibugi, con Ornella Muti, Valerio Mastrandrea.* AI CINEMA FILMSTUDIO UNO (16.30; 18.30; 20.30; 22.30) SAVOY (16.00; 18.10; 20.20; 22.30).

Qual è il programma ideale per le seguenti persone? Cercalo e poi confrontati con un compagno.

1. Gianluca lavora fino alle 21.00. Ama il teatro e la musica latinoamericana. Odia l'opera e la musica classica.
2. Francesca lavora fino alle 20.30. Non ama andare a teatro e si annoia nei musei, però adora l'opera e il cinema, in particolare i film italiani.
3. Maurizio lavora di notte in una discoteca. Non gli piace molto andare al cinema. È un amante del teatro e dell'arte contemporanea.
4. Cristina lavora sempre fino alle 19.30. Ama molto la musica classica, non ama andare al cinema e neanche all'opera.

E 1

2 E tu cosa faresti?

E tu cosa preferiresti fare? Perché?

CD 11

◆ Pronto!

▼ Fabio, ciao, sono Paolo.

◆ Ah, Paolo, ciao come va?

▼ Bene, bene. Senti, che programmi hai per sabato sera?

◆ Perché?

▼ Ti va di venire al concerto di Jovanotti?

◆ Hmmm, sabato sera veramente avrei un impegno ...
   c'è la festa in facoltà, ti ricordi?

▼ Senti, io sto facendo la fila per comprare i biglietti,
   se vuoi venire devi decidere subito.

◆ Ma sì, va bene. Sì, sì, d'accordo. Senti, quanto costa il biglietto?

▼ Trenta euro.

◆ Però! E non ci sono riduzioni per gli studenti?

▼ Fabio, guarda che ti sto chiamando con il cellulare ...

◆ Ah, sì, scusa ... no, Paolo, allora mi dispiace, ma non vengo,
   in questo periodo sono al verde! Perché invece non vieni tu con me?
   La festa è gratis!

Cerca nel dialogo le forme usate dai due amici per ...

4

```
invitare:


accettare:


rifiutare:


fare un'altra proposta:
```

4 Qualcosa in più

*Qui di seguito trovi altre espressioni per fare, accettare o rifiutare un invito
o fare una controproposta. Inseriscile nello schema precedente al posto giusto.*

Che ne dici di andare a ballare?

Hai voglia di andare al cinema?

Perché invece non andiamo al mare?

Mi dispiace, ma ho già un appuntamento.

Mi dispiace, ma non posso, devo lavorare.

Mah, direi di no.

Veramente non mi va.

Sì, volentieri.

No, dai, andiamo a teatro!

Andiamo a mangiare una pizza sabato?

Buona idea!

E 2·3

5 Inviti

*Invita un compagno del corso a fare una di queste cose.
L'altra persona deve accettare o rifiutare in base ai disegni e spiegare perché non può.*

E 4

6 Una serata insieme

*Sulla base dell'offerta culturale della vostra città organizzate, in piccoli gruppi,
una serata insieme. Decidete dove andare e cosa fare.*

7 In fila

Si lavora a coppie, una persona osserva il seguente disegno e l'altra quello a p. 122.
Descrivete ciò che le persone stanno facendo e cercate le nove differenze tra i due disegni.

E 5

> Marco **sta lavorando**.
> Lisa **sta leggendo**.
> I bambini **stanno dormendo**.
> **Sto facendo** la fila.

8 Come rimaniamo?

CD 12

Ascolta il dialogo e completa.

▲ Allora, signora, _____
per domenica sera? Dove ci vediamo?

■ Mah, davanti al teatro _____?

▲ Sì, sì, va bene. E a che ora?

■ _____ alle otto meno venti?

▲ Alle otto meno venti? Ma lo spettacolo
comincia alle otto! Io _____
_____ un po' prima, dobbiamo
ancora comprare i biglietti!

■ No, no, i biglietti li ho già presi io ieri.

▲ Ah, perfetto allora. E senta, Lei viene in
macchina?

■ No, la macchina non ce l'ho, l'ho portata
dal meccanico.

▲ _____ La vengo a prendere io.

■ No, non c'è problema, prendo l'autobus,
magari dopo se mi riaccompagna ...

▲ Certo.

■ Benissimo, _____.

▲ _____.

Completa.

La signora Elena e la signora Luisa si mettono d'accordo per andare insieme a _____.

L'appuntamento è alle otto meno venti _____ al teatro perché lo spettacolo

_____ alle otto. I biglietti ___ ha _____ la signora Luisa. La signora

Elena va ___ macchina e domanda all'altra se ____ deve andare a prendere. La signora

Luisa, infatti, non ha la macchina perché l'ha _____ dal meccanico.

E 6·7

> **Ti** vengo a prendere.
> **La** vengo a prendere.

> **Ce l'hai/ha** la macchina?
> No, non **ce l'ho**.

9 Mettiamoci d'accordo.

Hai deciso di fare qualcosa insieme con un compagno.
Mettetevi d'accordo su dove e a che ora incontrarvi, e come andare.

10 Hai già ...?

Ecco una lista di cose che avresti dovuto fare questa settimana.
Scegli 4 cose che hai fatto. Il tuo compagno deve scoprire,
con sole 5 domande, quali sono.

comprare i biglietti per il teatro   fissare l'appuntamento dal dentista
prenotare il tavolo al ristorante   restituire le videocassette
chiamare il medico   ordinare le tartine per la festa di sabato
riparare la macchina   pagare la bolletta del telefono
pulire i vetri   fare la spesa

> il film → **l'**ho vist**o**
> la macchina → **l'**ho porta**ta**
> i biglietti → **li** ho comprat**i**
> Lisa e Marilena → **le** ho incontrat**e**

> ■ Hai/Ha già comprato i biglietti per il teatro?
> ◆ Sì, indovinato, li ho già comprati. /No, mi dispiace, non li ho ancora comprati.

E 8·9

11 Luoghi pubblici e buone maniere

Sottolinea nel testo le frasi che corrispondono ai disegni.

Le buone maniere nei luoghi pubblici

*Al cinema, a teatro, come in tutti i locali pubblici, il comportamento
più corretto è quello che meno fa notare la nostra presenza. Quindi:*

Al cinema
✧ evitiamo commenti e rumori
✧ se proprio vogliamo mangiare qualcosa,
cerchiamo di non far rumore con la carta
(il rumore nel silenzio della sala è veramente
fastidioso)
✧ una volta trovata la giusta posizione per la
testa cerchiamo di mantenerla senza muoverla
continuamente da una parte all'altra
✧ cerchiamo di non tossire o starnutire, se
siamo malati è meglio restare a casa
✧ quando vediamo comparire sullo schermo una
città in cui siamo stati o un monumento che
conosciamo, evitiamo di dirlo ad alta voce

A teatro
✧ è d'obbligo arrivare puntuali, soprattutto
per rispetto verso gli attori
✧ se arriviamo tardi e le nostre poltrone
sono già occupate, aspettiamo la pausa
per discutere con chi le occupa

Nei musei o nelle mostre
✧ evitiamo di leggere la guida ad alta voce e
soprattutto non rimaniamo per ore davanti
al quadro più importante

E inoltre
✧ il telefonino è sicuramente utile, ma forse,
nei luoghi pubblici, possiamo spegnerlo
per un paio d'ore!

> Il telefonino possiamo spegner**lo**.
> Il telefonino **lo** possiamo spegnere.

1.

2.

3.

4.

5.

12 Con un po' di fantasia

Completa le seguenti frasi e poi confrontati con un compagno.

che | di cui | a cui | per cui | da cui | in cui | con cui

1. Il telefonino è un oggetto _____
2. Il cinema è un posto _____
3. Arrivare tardi a teatro è un comportamento _____
4. La pausa è un momento _____
5. Fare rumore con la carta al cinema è una cosa _____

E 13

> una città **in cui** siamo stati
> un monumento **che** conosciamo

13 Non sopporto ...

E a voi quali comportamenti danno fastidio nei luoghi pubblici?
Parlatene in piccoli gruppi.

14 Che serata!

13

Ascolta un paio di volte il dialogo e segna se le seguenti affermazioni sono vere o false.

	sì	no
a. Durante il fine settimana Jo è stata a teatro con i suoi amici.	☐	☐
b. Prima di andare a teatro hanno bevuto un aperitivo a casa.	☐	☐
c. Sono andati a teatro con i mezzi pubblici.	☐	☐
d. Sono arrivati a teatro puntuali.	☐	☐
e. Durante la pausa hanno fumato una sigaretta.	☐	☐
f. Quando sono tornati hanno trovato le poltrone occupate.	☐	☐

15 Vi è mai capitato?

E 14

Vi è mai capitato di vivere in prima persona o di assistere a un episodio
di maleducazione in un locale pubblico? Parlatene in piccoli gruppi.

E INOLTRE...

 1 Telefonata a un botteghino

Ascolta e rispondi alle seguenti domande.

Quale opera vuole andare a vedere la signora che telefona?
Quali sono le date delle due rappresentazioni?
Quanto costano i biglietti?
Qual è l'orario di apertura del botteghino?

Riascolta e completa.

■ Teatro dell'Opera, buonasera.

◆ Buonasera, senta io vorrei sapere le date delle rappresentazioni della
_____.

■ Sì, allora, _____ e _____, alle otto di sera.

◆ Benissimo. E senta, i biglietti quanto vengono più o meno?

■ Mah, dipende dalla fila, comunque il prezzo varia tra _____ e _____ euro.

◆ Ancora una domanda. Le prenotazioni si possono fare anche telefonicamente o devo venire lì?

■ No, purtroppo deve venire qui. Il botteghino è aperto dal lunedì al venerdì
_____, e il sabato _____.

 2 Una telefonata

In coppia simulate una telefonata al botteghino di un teatro per chiedere informazioni sulle date, sugli orari e sul prezzo della manifestazione che vi interessa.

TEATRO ARGENTINA
- ore 21. Mozart,
Le Nozze di Figaro,
direttore **Boris Brott**,
regia e allestimento
Enrico Castiglione.
Replica.

Albano Festival

Domenica
3 *Dicembre*
ore 19.00

RIGOLETTO di G. Verdi
Paolo Subrizi *pianoforte* – Enzo Salomone *voce narrante*

Giovedì
7 *Dicembre*
ore 21.00

"L'OPERA DA TRE SOLDI" di Kurt Weill
Federico Paci *direttore* – Marina Gentile *mezzosoprano*

Biglietto unico € 6,20, Biglietteria sul posto.
Prevendita: DRIN SERVICE Genzano. Tel. 06/9364603.

4

Per comunicare

Che programmi hai per sabato?
Ti va / Hai voglia di andare al cinema?
Che ne dici di andare a ballare?

Sì, volentieri. / Sì, d'accordo.
Buona idea!

Come rimaniamo?
A che ora ci vediamo?
Facciamo alle sette.
Io direi di vederci un po' prima / dopo.

Perché invece non andiamo a teatro?
No, dai, andiamo a fare una passeggiata!

Mi dispiace, ma ho già un impegno.
Veramente non mi va (molto).

Ti / La vengo a prendere.
Vado a prendere mia sorella all'aeroporto.
Ce li hai tu i biglietti?

Grammatica

stare + gerundio

*Per esprimere un'azione che accade nel momento in cui si parla si usa **stare** + gerundio.*

Renzo **sta scrivendo** una mail.
I bambini **stanno riposando**.

*Il gerundio si forma aggiungendo alla radice del verbo **-ando** (verbi in –are) o **-endo** (verbi in -ere e -ire).*

lavorare → lavor**ando**
scrivere → scriv**endo**
dormire → dorm**endo**

Eccezioni: bere → bevendo, dire → dicendo, fare → facendo

I pronomi diretti e il verbo *avere*

Ce l'hai la patente?

*Quando il verbo **avere** è usato nel significato di "possedere", è preceduto dalla particella **ce** + i pronomi **lo, la, li** e **le**.*

La concordanza del participio passato con i pronomi diretti

Hai letto **il libro**? Sì, **l'**ho lett**o**.
Hai chiuso **le finestre**? Sì, **le** ho chius**e**.
Hai comprato **il vino**? Sì, **ne** ho compra**te** due bottiglie.

*Quando il verbo al passato prossimo è preceduto dai pronomi **lo, la, li, le** e **ne**, il participio concorda in genere e numero con l'oggetto.*
*Le forme **lo/la** si apostrofano, **li/le** invece no.*

Posizione dei pronomi diretti e indiretti con i verbi all'infinito

Il telefonino devo spegner**lo** / **lo** devo spegnere?
A Marco posso scriver**gli** / **gli** posso scrivere una cartolina?

Quando c'è un verbo + infinito, i pronomi diretti e indiretti possono unirsi all'infinito o andare prima del verbo.

I pronomi relativi *che* e *cui*

È il ragazzo **che** abita con me.
È il ragazzo **con cui** abito.

È un film **che** conosco molto bene.
È il film **di cui** ti ho parlato.

*Il pronome relativo **che** si usa come soggetto o complemento diretto (senza preposizione). Il pronome relativo **cui** è preceduto sempre da una preposizione.*

4

Buon viaggio!

 1 Il Vacatest

Completa il questionario.

a. Di solito quante volte all'anno vai in vacanza? E quando?

○ una volta all'anno   ○ in primavera   ○ in estate   ○ in autunno   ○ in inverno

○ più volte all'anno   ○ dipende

b. Con chi ci vai generalmente?

○ da solo   ○ con la famiglia   ○ con amici   ○ in gruppo

c. Preferisci i viaggi

○ organizzati   ○ individuali

d. Quale mezzo di trasporto scegli di solito?

○ auto privata   ○ aereo   ○ treno   ○ nave

○ auto a noleggio   ○ bicicletta   ○ camper   ○ motocicletta

e. Che tipo di sistemazione preferisci?

○ albergo   ○ agriturismo   ○ campeggio   ○ appartamento

f. Prima di partire

○ ti informi esattamente su quello che vuoi visitare.

○ compri tante guide, ma non ne leggi neanche una.

○ ti informi presso amici che conoscono già i luoghi che vuoi visitare.

○ non leggi nulla, ti affidi al tuo istinto.

g. Quando parti

- ○ hai sempre molti bagagli.
- ○ ti basta una valigia.
- ○ preferisci viaggiare con lo zaino.

h. Oltre ai vestiti in vacanza porti sempre con te:

- ○ libri
- ○ sacco a pelo
- ○ guide turistiche
- ○ cellulare
- ○ ombrello
- ○ diario di viaggio
- ○ macchina fotografica
- ○ videocamera

i. La vacanza per te significa:

- ○ sole, mare, spiagge e tranquillità (prendere il sole, nuotare, leggere, riposarsi)
- ○ movimento, sport, divertimento (fare sport, uscire la sera, andare in discoteca)
- ○ conoscere altre culture e altre tradizioni (visitare luoghi di interesse artistico-culturale)
- ○ avventura (provare cose nuove, conoscere luoghi esotici)

Confronta le tue risposte con quelle di un compagno e, dov'è possibile, motivale.

Sulla base della vostra discussione pensate che potreste andare in vacanza insieme?
Riferite in plenum e spiegate perché.

E 1

2 Non lo sapevo!

Ascolta un paio di volte il dialogo tra Enzo e Carlo e rispondi alle seguenti domande.

Dove è stato Carlo?
Che cosa vuole sapere Enzo? E perché?
Con chi vuole andare in vacanza Enzo?
Che cosa racconta Carlo al suo amico?

◆ Ah, Carlo, volevo chiederti una cosa.

▲ Dimmi pure.

◆ Ho saputo che l'estate scorsa sei stato in un villaggio turistico.

▲ Sì, in Calabria.

◆ E come ti sei trovato? Perché sai, mia moglie quest'anno vorrebbe andare in un villaggio, però io sinceramente ...

▲ Guarda, io mi sono trovato benissimo, il villaggio lo conoscevo già perché ci ho lavorato come animatore.

◆ Tu hai fatto l'animatore?

▲ Sì, ma otto anni fa. Tra l'altro è lì che ho conosciuto mia moglie.

◆ Davvero? Non lo sapevo!

▲ Comunque secondo me, se si hanno dei bambini il villaggio turistico è l'ideale.

◆ Sì?

▲ Sì, perché loro fanno le loro cose e tu e tua moglie avete un po' di tranquillità e di tempo per voi. E poi, potete fare sport, conoscere gente ... guarda, se vuoi ti porto qualche catalogo.

◆ Eh, magari!

Cerca nel dialogo le espressioni usate per...

chiedere qualcosa in modo gentile.   _____

mostrarsi disposti ad ascoltare qualcuno.   _____

esprimere sorpresa.   _____

mostrarsi contenti dell'offerta di un'altra persona.   _____

Cerca nel dialogo le forme dei verbi sapere *e* conoscere, *scrivile qui di seguito e rifletti sul loro significato.*

	passato prossimo	imperfetto
E 2 sapere	_____	_____
conoscere	_____	_____

3 Volevo …

Che cosa dici …

a un amico con cui vuoi uscire?
a un vigile per sapere la strada?
a un collega a cui hai risposto male?
a un amico meccanico se la tua macchina si è rotta?
a un amico se hai un problema?

	chiedere scusa per l'altro ieri.
	fare una proposta.
Ti / Le volevo	chiedere un piacere.
	chiedere un'informazione.
	chiedere un consiglio.

E 3·4

4 Ho saputo che …

In coppia fate un dialogo in base alle seguenti indicazioni.

A

Hai saputo che un amico o un'amica è stato/-a in un agriturismo. Chiedigli/Chiedile del posto, dell'alloggio, del mangiare, delle cose da vedere ecc.

B

Sei già stato/-a in un agriturismo. Racconti ad un amico o ad un'amica, come è stato e cosa si può fare lì.

LA PERGOLA

Loc. Traviri – Via T. Astarita, 80 –
80062 Meta di Sorrento (NA) Tel. 081/80 83 235

Piccolo podere con agrumi, olivi, a 4 chilometri da Sorrento e a 7 da Positano; prodotti biologici; possibilità di lavoro in azienda.
Guida alle attività agricole; tennis e piscina, pesca – *Vino, olio, noci, agrumi, polli, conigli, legumi, frutta, marmellate, sottoli, salumi.*

L'AGRUMETO

Loc. Casa Starita - 80062 Meta di Sorrento (NA) –
Tel. 081/87 88 442

Ristorazione in podere di 2 ettari con vigneto, oliveto, frutteto e orto.
Corsi di cucina, escursioni con guida, mare, piscina, tennis, equitazione – *Vino da tavola bianco e rosso, ortaggi.*

5

ori dall'Italia

Il seguente testo è tratto da un romanzo dello
scrittore Andrea De Carlo. Leggilo.

Il giorno dopo siamo andati in un'agenzia a comprare due biglietti Venezia-Pireo, passaggio di solo ponte, e uno per la mia moto. Abbiamo fatto brevi preparativi, messo da parte le poche cose che volevamo portare. Avevo ancora la piccola tenda canadese della mia vacanza con Roberta due estati prima, ma Guido ha detto che non serviva, ci sarebbero bastati i sacchi a pelo. Era la prima volta in vita mia che facevo un viaggio fuori dall'Italia, pensarci mi riempiva di agitazione. (...)

Siamo arrivati nel porto di Atene sotto il sole a picco di mezzogiorno (...). Eravamo eccitati all'idea di essere fuori dall'Italia e in un posto che non conoscevamo affatto, senza ancora nessun programma definito.

Quando finalmente siamo riusciti a scendere abbiamo portato la moto a mano, cauti di fronte all'assalto di suoni e immagini. C'era una quantità incredibile di giovani stranieri, a piccoli gruppi e a coppie e singoli, con zaini e sacchi a pelo sulle spalle, cappelli e fazzoletti in testa, sandali ai piedi. C'erano ragazze scandinave dalla pelle molto chiara e americani con custodie di chitarre, ragazze francesi magre e interessanti, branchi di tedeschi dai capelli lunghi. (...)

Siamo andati in una delle molte piccole agenzie di viaggio per scoprire che alternative avevamo. Io sono rimasto fuori con la moto, Guido si è fatto largo tra la piccola folla di stranieri che assediava il bancone. Dalla porta lo vedevo guardare le ragazze intorno, le carte geografiche alle pareti; è tornato indietro un paio di volte a chiedermi consiglio con gli occhi che gli brillavano. Mi ha detto «Potremmo andare alle Cicladi, o alle Sporadi, o a Creta, a Idra».

(da *Due di Due* di Andrea De Carlo)

Segna con una X se le seguenti
affermazioni sono vere o false.

> Non ho **nessun** programma.
> Non ho **nessuna** voglia.

	sì	no
a. Guido e il suo amico prendono l'aereo.	☐	☐
b. Guido e il suo amico hanno moltissimi bagagli.	☐	☐
c. Vanno a dormire in albergo.	☐	☐
d. Prima di partire hanno organizzato dettagliatamente il loro viaggio.	☐	☐
e. È la prima volta che i due ragazzi vanno insieme in Grecia.	☐	☐
f. Quando arrivano ad Atene il tempo è brutto.	☐	☐
g. Al loro arrivo ad Atene si trovano di fronte ragazzi di tutto il mondo.	☐	☐

E 5

6 Riflettiamo

Rileggi il testo, sottolinea (possibilmente con due colori diversi) le forme al passato prossimo e quelle all'imperfetto e rifletti con un compagno sull'uso dei due tempi.

Che tempo si usa per

	passato prossimo	imperfetto
○ esprimere un'azione del passato che si è conclusa.	☐	☐
○ esprimere un sentimento o un'intenzione del passato.	☐	☐
○ descrivere persone, cose e situazioni del passato.	☐	☐

E 6

7 Diario di viaggio

Qui di seguito trovate un diario di viaggio. Il racconto è al presente, trasformatelo al passato e decidete quale tempo usare (passato prossimo o imperfetto). Lavorate in coppia e controllate poi in plenum.

Alle 10.00 di mattina arriviamo all'aeroporto, aspettiamo
per quasi un'ora i nostri bagagli, poi usciamo e prendiamo
un taxi. La città è brutta, c'è tantissimo traffico e fa un
caldo terribile. Ci fermiamo davanti a un albergo, indecisi
se entrare, ma poi decidiamo di noleggiare una macchina e di
proseguire per un'altra città. Verso le 15.00 facciamo una
pausa, mangiamo un panino e poi ripartiamo verso nord.
Guidiamo per altre tre ore e arriviamo in un piccolo paesino. Il mio compagno di viaggio dice: "Qui è molto più
bello!". Lasciamo la macchina e andiamo a vedere. Il paesino
è molto tranquillo, ci sono fiori, negozietti che vendono
frutta fresca e spezie e alcuni caffè. Nel paese ci sono
solo due pensioni. Andiamo a vederne una. È molto carina,
semplice, ma pulita. Decidiamo di restare lì per qualche
giorno anche perché siamo stanchi di viaggiare.

Alle dieci di mattina siamo arrivati...

E 7

Ti racconto del mio viaggio

Scrivi una lettera a un amico e racconta di una vacanza che hai fatto.
Descrivi i luoghi, le cose che hai fatto, cosa hai visto, ecc.

  Ma davvero?

CD 16

Anna racconta alla sua amica Miriam delle sue vacanze. Ascolta il dialogo
e segna con una X le «disavventure» che Anna ha avuto in vacanza.

albergo chiuso	☐	camera troppo piccola	☐
aria condizionata rotta	☐	albergo sporco	☐
camera senza bagno	☐	tempo bruttissimo	☐
albergo rumoroso	☐	posto molto turistico	☐
posto carissimo	☐		

Riascolta il dialogo e segna quali delle seguenti espressioni usa Miriam per esprimere
sorpresa e quali invece per esprimere dispiacere.

	per esprimere sorpresa		per esprimere dispiacere
Ma davvero?	☐	Che disastro!	☐
Ma non mi dire!	☐	Che peccato!	☐
Ma dai!	☐	Che guaio!	☐
Roba da matti!	☐	Mi dispiace!	☐
Dici sul serio?	☐	Che sfortuna!	☐

E 8·9

Che sfortuna!

Immaginate di essere stati in vacanza e di aver avuto sfortuna. In coppia fate un dialogo
in cui raccontate quello che vi è successo. L'altro deve esprimere sorpresa o dispiacere.

E INOLTRE...

 1 Vorrei qualche informazione

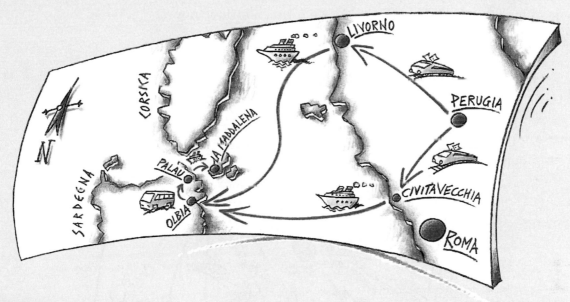

■ Buonasera.

▼ Buonasera, senta, vorrei qualche informazione sull'arcipelago della Maddalena.

■ Sì, prego.

▼ Eh, prima di tutto volevo sapere come si raggiunge.

■ Beh, senta, da Perugia può arrivare in treno fino a Livorno o a Civitavecchia e da lì può prendere il traghetto per Olbia. Da Olbia poi può prendere un autobus e un altro traghetto. Oppure prende l'aereo e poi il traghetto.

▼ No, mia moglie ha paura dell'aereo. Quanto tempo ci vuole con il traghetto?

■ Dunque da Livorno ci vogliono circa undici ore e da Civitavecchia circa otto.

▼ Beh, da Civitavecchia allora. E senta, quanto costa più o meno?

■ Vediamo un po', allora, la poltrona viene intorno ai 23 euro a persona e il posto ponte circa 17.

▼ Bene. E ci sono dei traghetti che partono di sera?

■ Sì, certo. Ce n'è uno che parte da Civitavecchia alle 23.00 e arriva a Olbia la mattina alle 7.00.

> | |
> |---|
> | **Ci vuole** un'ora. |
> | **Ci vogliono** tre ore. |

Cerca nel dialogo le espressioni usate per ...

informarsi _____

chiedere come si arriva in un posto _____

chiedere la durata del viaggio _____

chiedere il prezzo _____

E 10·11·
12·13

2 In un'agenzia di viaggi

A Sei a Milano, ma hai voglia di andare un po'
al mare. Vai in un'agenzia di viaggi e chiedi
delle informazioni su come raggiungere
i seguenti luoghi, sul tempo che ci vuole, sul
prezzo e sugli orari di partenza e di arrivo.

B Un cliente vuole delle informazioni su
come raggiungere i seguenti luoghi.
Guarda la tabella a pagina 122 e rispondi
alle domande.

Isola d'Elba – Capri – Cagliari

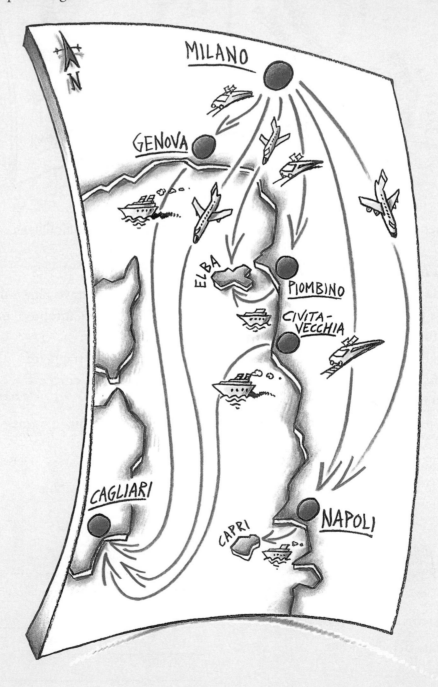

Per comunicare

Volevo chiederLe un'informazione.
Volevo chiederti un favore.

Ma davvero?
Ma non mi dire!
Ma dai!
Roba da matti!
Dici sul serio?

Come si raggiunge la Maddalena?
Quanto tempo ci vuole?
Ci vuole un'ora / ci vogliono due ore.

Ho saputo che sei stato in Sicilia.
Non lo sapevo!

Che disastro!
Che guaio!
Che sfortuna!
Che peccato!

Il biglietto viene intorno ai 20 euro.
Ho paura dell'aereo.

Grammatica

Uso di *volere* all'imperfetto

*Il verbo **volere** all'imperfetto si usa per*

- *chiedere qualcosa in modo gentile:*
  Volevo chiederLe un favore.

- *esprimere un'intenzione o un desiderio:*
  Volevamo passare una settimana al mare.

Sapere e conoscere

*I verbi **sapere** e **conoscere** hanno due significati diversi al passato prossimo e all'imperfetto.*

Ho saputo che arrivano i tuoi nonni.
(venire a sapere qualcosa da qualcuno)

Non **sapevo** che hai ancora dei nonni.
(sapere qualcosa da molto tempo)

Ho conosciuto mia moglie in vacanza.
(fare la conoscenza, incontrare qualcuno per la prima volta)

Io **conoscevo** già il villaggio.
(conoscere qualcuno o qualcosa da molto tempo)

L'uso del passato prossimo e dell'imperfetto

Il passato prossimo si usa per esprimere azioni del passato che si sono concluse. (vedi Lezione 2)
L'imperfetto esprime invece azioni del passato che non hanno una durata ben definita e si usa anche per descrivere persone o situazioni. (vedi Lezione 2)

Inoltre si usa

- *il passato prossimo per parlare di eventi che sono accaduti uno dopo l'altro e si sono conclusi nel passato:*

  Io **sono rimasto** fuori e Guido **è entrato** in agenzia.

- *l'imperfetto per esprimere un'intenzione del passato:*

  Abbiamo preso le cose che **volevamo** portare.

Volerci

Per andare in centro da qui **ci vuole** un'ora.
Quante uova **ci vogliono** per fare il tiramisù?

5

Facciamo il punto

Si gioca in gruppi di 3 – 5 persone con 1 dado e pedine. A turno si lancia il dado. Si avanza di tante caselle quanti sono i punti indicati sul dado. Su ogni casella è segnato un compito da svolgere. Se si arriva su una casella con la scaletta, si può avanzare o retrocedere. Se si arriva su una casella con il simbolo del sorriso, si va avanti di tre caselle. Se il compito non è svolto correttamente, si retrocede di una casella. Se in questo caso si arriva su una casella con la scaletta, si rimane fermi, cioè non si avanza né si retrocede. Vince chi arriva prima al traguardo.

L'importante è mangiare bene!

1 Diversi modi di mangiare

A pagina 67 trovi dei testi che descrivono le abitudini alimentari di alcune persone. Leggili e decidi, in base alle loro abitudini, che libro regalargli.

a.

b.

c.

d.

e.

f.

g.

h.

Luciano, 41 anni, manager. Fa colazione solo con un cappuccino e pranza velocemente con un panino o un pezzo di pizza. Beve moltissimo caffè, ma poca acqua. Anche la sera fa un pasto veloce: un piatto di pasta o un secondo con carne o uova. Mangia raramente pesce o verdure.

Daniela, 32 anni, insegnante di danza, vegetariana da sei anni, ma con un debole per i dolci. A colazione di solito mangia yogurt e cereali, qualche volta frutta. Il pranzo lo salta, al massimo mangia un po' di verdura, e a cena riso, pasta o legumi.

Federico, 26 anni, studente, non ha precise abitudini alimentari. Mangia spesso fuori casa: in mensa o al fast-food o, se vuole mangiar bene, dalla mamma.

Margherita, 58 anni, casalinga, dedica molto tempo alla cucina e va raramente a mangiare fuori. In genere prepara piatti tradizionali: risotti, pasta fatta in casa, arrosti.

6

Parla con un compagno.

Qual è il libro che fa per voi? E perché?

t 1

2 Io le consiglierei di ...

Quali di questi consigli daresti a una persona che vuole dimagrire?

Io le consiglierei di (non) ... perché ...

saltare i pasti	mangiare più verdure
mangiare più regolarmente	ballare
fare la sauna	variare la dieta
mangiare solo yogurt	fare sport
evitare creme e salse	bere molta acqua
mangiare solo carote	mangiare meno carne

Non esagerare!

CD 18 *Barbara non è contenta del suo peso e chiede consiglio alla sua amica Francesca*
su come dimagrire. Ascolta il dialogo.

▼ Scusa, ma mangi solo uno yogurt? Non ti sembra un po' poco?

■ No, mi basta. E poi da oggi sono a dieta. Devo dimagrire, sono troppo grassa!

▼ Non esagerare, non sei grassa! E poi secondo me le diete non servono a niente!

■ Eh! Parli bene tu, sei un grissino!

▼ Mah, comunque secondo me la prima regola, se si vuole dimagrire, è non saltare
i pasti!

■ E che dovrei fare secondo te?

▼ Beh, mangia più regolarmente e soprattutto cerca di mangiare un po' di tutto!
Non ti serve a niente mangiare solo uno yogurt se poi il giorno dopo mangi quattro
hamburger! ... Io, per esempio, mangio una volta pasta, una volta carne o pesce ...

■ Eh, sì, lo so, ma è anche una questione di tempo!

▼ Mah, dipende. Se ti organizzi bene ...

■ Hmmm ...

▼ E poi non bere tutte quelle bibite zuccherate! Bevi più acqua o al limite spremute!

■ Sì, forse hai ragione.

▼ E la sera non dovresti stare sempre a casa davanti alla TV, altrimenti mangi per noia!
Che ne so, esci, fa' un po' di sport, va' a ballare!

Sottolinea nel dialogo le forme usate da Francesca per dare consigli
e scrivile qui di seguito.

Sì
mangia più regolarmente

_____

_____

_____

_____

No
non esagerare

_____

_____

_____

_____

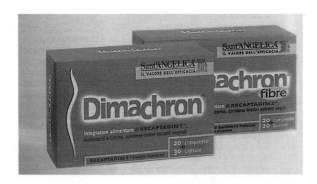

4 Mangia meno dolci!

*Franco ha problemi di sovrappeso. Ha provato già
a fare diverse diete, ma senza risultato. Digli cosa
dovrebbe o non dovrebbe fare. Usa l'imperativo
confidenziale.*

mangiare	Mangia!	Non mangiare!
prendere	Prendi!	Non prendere!
dormire	Dormi!	Non dormire!
fare	**Fa'** sport!	Non fare!
andare	**Va'** a ballare!	Non andare!
bere	Bevi!	Non bere!
uscire	Esci!	Non uscire!

limitare zuccheri e grassi

variare la dieta   contare le calorie

mangiare tanta carne   uscire   bere troppi alcolici

fare le scale invece di   mangiare solo insalata   usare troppo burro   bere più acqua
prendere l'ascensore

fare jogging   camminare invece di
prendere la macchina

comprare cioccolata

E 2·3

5 Abitudini alimentari

*Individualmente rispondi alle domande. Poi fai le domande a un compagno
e in base alle sue risposte dagli dei consigli.*

Mangia più pesce! / Non bere troppo caffè!
Secondo me dovresti mangiare più pesce.
Io al tuo posto mangerei più pesce.

	io	il mio compagno
1. Quanta acqua bevi al giorno?		
2. Con quale frequenza mangi la frutta?		
3. Con quale frequenza mangi la verdura?		
4. Quante volte alla settimana mangi la carne?		
5. Quante volte alla settimana mangi il pesce?		
6. Quante tazze di caffè o tè bevi al giorno?		
7. Quante uova mangi alla settimana?		
8. Mangi molto formaggio?		
9. La sera fai un pasto caldo o mangi delle cose fredde (formaggio, salumi)?		
10. Ti capita di saltare i pasti?		
11. Bevi spesso alcolici durante i pasti?		
12. Mangi spesso al fast-food?		

6

6 Per dimagrire ...

Forma delle frasi.

> **Non** ti **serve** a niente saltare i pasti!
> Le diete non **servono**.

dei buoni consigli.
dei massaggi.
saltare i pasti.
gli integratori dietetici.
tanta pazienza.
mangiare solo frutta.
le diete.
una bilancia.
pesarsi tutti i giorni.

Per dimagrire — serve / non serve — servono / non servono

E 4

7 Le diete non servono?

E voi cosa pensate delle diete? Servono o non servono?
Ne avete mai fatta una? Parlatene in piccoli gruppi.

OSTERIE D'ITALIA
Sussidiario del mangiarbere all'italiana
2001
Slow Food Editore

8 Riscopri il gusto della tavola!

Leggi il seguente testo.

A tavola è importante non solo quello che si mangia, ma anche come si mangia.
I ritmi di vita moderni e lo stress ci hanno fatto perdere il gusto di stare a tavola.
La cucina è diventata «fast» e mangiare non sempre è un'occasione per stare insieme
agli altri. Per ritrovare la voglia di mangiare bene e salvare la «vecchia tavola» basta
osservare alcune regole:

1° Prenditi tempo per mangiare anche se ti sembra di non averne.
2° Non mangiare in piedi accanto al lavandino: anche se sei solo, trattati bene!
3° La TV spegnila mentre mangi! Puoi guardarla dopo, per digerire.
4° La spesa falla nei piccoli negozi o se vuoi farla al supermercato, fa' attenzione a quello
   che metti nel carrello, leggi sempre le etichette e scegli prodotti locali.
5° Compra prodotti biologici. Sono più cari, ma più sicuri.
6° In ogni paese ci sono prodotti e tradizioni culinarie che rischiano
   di scomparire. Sostienili e falli conoscere anche ad altre persone.

Sottolinea nel testo tutte le forme all'imperativo.
In che posizione si trovano i pronomi? Discutetene in plenum.

E 5

> **È importante quello che mangi.**

9 Per salvare la «vecchia tavola»

Completa lo schema secondo il modello

io

Compro sempre prodotti freschi.

Compro prodotti biologici.

Faccio la spesa nei piccoli negozi.

Spengo la TV mentre mangio.

Mi tratto bene anche quando mangio da solo.

Leggo sempre le etichette.

Cerco sempre ricette tradizionali.

Scelgo sempre prodotti locali.

tu

Comprali sempre anche tu!

_____

_____

_____

_____

_____

_____

_____

E 6·7·
8·9

10 Salviamo il piacere della tavola!

In piccoli gruppi scrivete un manifesto
per salvare il piacere della tavola.

6

11 Italiani a tavola

Qui di seguito trovi una serie di abitudini alimentari.
Segna quelle che secondo te sono «tipiche» degli italiani.

non fare colazione a casa	☐	fare colazione con i cereali	☐
mangiare molto a pranzo	☐	fare un pasto leggero	☐
mangiare molto a cena	☐	andare spesso a cena fuori	☐
mangiare molta verdura	☐	usare molto burro in cucina	☐
bere la birra durante i pasti	☐	bere molto vino durante i pasti	☐
usare cibi veloci come snacks	☐	mangiare spesso al fast-food	☐
mangiare cibi etnici	☐	cucinare secondo ricette tradizionali	☐

E ora leggi il seguente testo e confronta le tue risposte con le nuove abitudini alimentari di cui si parla.

Come eravamo e come siamo: quanto sono cambiati gli italiani a tavola nel giro di venti anni? Se fino a ieri al mattino si beveva solo un caffè nero e via, poi un pranzo abbondante e con la classica «fettina», per concludere la giornata con cena leggera ma non troppo e un bicchiere di vino, oggi iniziamo spesso la giornata con cereali e yogurt, quello di mezzogiorno è solo uno spuntino, la sera siamo a cena fuori, magari in un ristorante etnico, e apprezziamo molto anche il pesce e la birra. (...)
Ma più esattamente, in che cosa è cambiato il modo di mangiare degli italiani? Da una parte siamo diventati più attenti a quello che mangiamo: mangiamo più pesce, beviamo meno alcol, consumiamo più verdura, dall'altra, però, usiamo più spesso cibi veloci come snack o merendine. (...)
Ma uno dei cambiamenti più interessanti è proprio la maggiore importanza attribuita dagli italiani alla prima colazione, e la comparsa di prodotti prima sconosciuti sulle tavole italiane, come appunto lo yogurt e i cereali. Oggi, tra gli adulti che lavorano, solo l'8,5% salta completamente la prima colazione e appena il 21,7% beve soltanto un caffè.
I consumi alimentari sono diventati anche più diversificati. Ad esempio, il settore dei "pasti fuori casa". Secondo dati recenti il 33% circa dei soldi spesi per i consumi alimentari è stato appunto speso per i pasti fuori casa. E se la pizzeria resta un classico e i fast-food sono in crescita, il fenomeno forse più interessante è il boom del cibo etnico. Tra i cibi preferiti quello cinese (l'84% dei ristoranti etnici sono cinesi) seguito da quello messicano. L'altro grande cambiamento è il trionfo della dieta mediterranea e della cucina regionale.
Nelle abitudini odierne degli italiani possono così convivere l'acqua minerale e il buon vino, la pasta aglio e olio e le tortillas messicane.

1
2
3
4
5
6
7
8
9
10
11
12
13
14
15
16
17
18
19
20
21
22
23
24
25
26

(adattato da *L'Ambiente Cucina*, 1999)

Quali delle vostre ipotesi sulle abitudini alimentari degli italiani non corrispondono alla situazione attuale presentata nel testo? Parlatene in piccoli gruppi.

Com'è la situazione nel vostro Paese? Ci sono stati dei cambiamenti?
Se sì, quali? Parlatene in plenum.

E 10·11

12 Brunch & tortellini

CD 19

Ascolta il dialogo tra madre e figlia e segna con una X se le seguenti affermazioni sono vere o false.

	sì	no
a. La figlia si lamenta perché la madre non ha comprato i tortellini già pronti.	☐	☐
b. La figlia sa preparare la pasta fatta in casa.	☐	☐
c. La figlia critica i pranzi organizzati dalla madre.	☐	☐
d. La madre prepara anche del pesce crudo.	☐	☐
e. La figlia trova le ricette tradizionali poco originali.	☐	☐
f. Per primo ci sono anche degli spaghetti al pomodoro.	☐	☐
g. La madre non conosce il cus cus.	☐	☐
h. La madre dice che i giovani non apprezzano la cucina tradizionale.	☐	☐

13 Cucina tradizionale? No, grazie, la preferisco esotica.

Ti piace la cucina esotica o preferisci quella tradizionale? Quando vai a mangiar fuori ti piace provare piatti nuovi o sei un/una «tradizionalista»? A casa tua si preparano ancora dei piatti tradizionali? Quali?

6

E 12

E INOLTRE...

1 Squisito!

CD 20

Guarda i disegni e ascolta.

Cosa dici se ...

nella minestra c'è troppo sale?
c'è troppo peperoncino nel sugo?
il pollo è rimasto troppo tempo nel forno?

nell'insalata c'è poco sale?
la bistecca non è cotta?
la macedonia ti è piaciuta tantissimo?

2 Dolce o salato?

Pensa a tre alimenti o piatti che hanno in comune un sapore o una qualità tra quelli indicati. Dilli al tuo compagno. Lui deve indovinare il sapore o la qualità che hanno in comune.

agro amaro dolce piccante

grasso duro

■ Le patatine fritte, il burro, la maionese.
♦ Sono grassi.

buono sano salato

Per comunicare

Sono a dieta. Devo dimagrire.
Non esagerare!
Sì, forse hai ragione.

È solo questione di tempo!

Bevi più acqua!
Io al posto tuo berrei più acqua!
Dovresti bere più acqua!

Le diete non servono.
Ti serve tanta pazienza.
Il pollo è buono / salato / piccante.
Il dolce è squisito!
L'arrosto è bruciato!

Grammatica

L'imperativo 2ª persona singolare (tu)

L'imperativo si usa per dare un consiglio o un'istruzione. Per i verbi regolari in -ere e -ire le forme dell'imperativo sono uguali a quelle del presente. I verbi in -are hanno invece una forma diversa.

mangiare	→	**Mangia** meno dolci!
prendere	→	**Prendi** un taxi!
partire	→	**Parti** prima delle 8.00!
finire	→	**Finisci** la pasta!

I verbi con un presente irregolare hanno l'irregolarità anche alla 2ª persona singolare dell'imperativo.

bere	→	**Bevi** più acqua!
uscire	→	**Esci** più spesso!

I seguenti verbi hanno una forma monosillabica apostrofata:
andare → va', dare → da', dire → di',
fare → fa', stare → sta'

I seguenti verbi hanno invece una forma irregolare:
avere → abbi, essere → sii, sapere → sappi

Servire

Ci **serve** una macchina nuova.
Le **servono** degli occhiali da sole?
Non ti **serve** a niente saltare i pasti.

Posizione del pronome con l'imperativo (tu)

I pronomi si uniscono alla 2ª persona singolare dell'imperativo.

Il libro **portalo** a Caterina!
Alzati presto domani!

*Con i pronomi diretti e indiretti (tranne **gli**) e con le particelle **ci** e **ne** i verbi **andare**, **dare**, **dire**, **fare** e **stare**, raddoppiano la consonante.*

La spesa **falla** al mercato!
Se vai in ufficio **vacci** con l'autobus!
Se vedi Carlo **digli** di venire un po' prima.

Imperativo negativo 2ª persona singolare

Non mangiare troppi dolci!
Non andarci a piedi! / Non **ci andare** a piedi!

*L'imperativo negativo 2ª persona singolare si forma con **non** + infinito. I pronomi possono andare prima o essere uniti all'infinito.*

Quello che

Quello che ha detto è molto interessante.

Mens sana ...

1 Ho mal di ...

Che problema hanno queste persone? Osserva i disegni e collegali al problema corrispondente.

a.

b.

c.

d.

e.

f.

7

☐ Ho un terribile mal di denti!

☐ Sono stato troppo tempo al sole e mi sono scottato.

☐ Sono stanca e stressata, dormo male e ho spesso mal di stomaco.

☐ Ho problemi alla schiena.

☐ Ho un'allergia al polline. Ho già preso diverse medicine, ma non è servito a niente!

☐ Mi gira spesso la testa e mi bruciano gli occhi. Forse ho bisogno degli occhiali.

> Dovrebbe andare **dal** medico.
> Dovrebbe andare **in** palestra.

E adesso, in coppia, consigliate a queste persone dove andare.

Dr. GIACOMO SCALA
OCULISTA
1 PIANO

1.

unglona
TTORE SANITARIO: dott.ssa Piera March
FISIOKINESITERAPIA
UDI MEDICI SPECIALIS
CREDITATO S.S.N.

2.

STUDIO DENTISTICO

3.

FARMACIA

4.

STUDIO MEDICO
CONVENZIONATO CON IL S.S.N.
PER LA MEDICINA GENERALE
Dott. SERGIO Marcello
MEDICO CHIRURGO
Sc. A Int. 21   Tel. 21.47.832
Aut. n. 459/95

5.

Società Ginnastica "AIRONE"

6.

E 1

2 In farmacia

CD 21 *Ascolta il dialogo e metti una X sulle parti del corpo nominate.*

la bocca
il petto
il braccio
il fianco
la pancia
la mano
il dito
la gamba
il ginocchio
il piede

l'occhio
la testa
l'orecchio
il naso
il labbro
il collo
la spalla
la schiena

Riascolta il dialogo e metti una X sui disturbi che ha l'uomo e sui consigli che gli dà il farmacista.

Disturbi		Consigli	
mal di stomaco	☐	mettere una crema solare	☐
mal di testa	☐	prendere un'aspirina	☐
mal di pancia	☐	bere bibite fredde	☐
mal di denti	☐	chiamare il medico	☐
mal di schiena	☐	mangiare cose leggere	☐
allergia	☐	non bere alcolici	☐
raffreddore	☐	mettere una pomata	☐
irritazione alla pelle	☐	non andare al sole	☐

◆ La stanno già servendo?

▲ No, veramente no.

◆ Mi dica, allora.

▲ Sì, senta, è da ieri che mi sento un po' strano, ho mal di testa, mal di pancia ...

◆ Ha mangiato qualcosa che Le ha fatto male?

▲ No, direi di no. E poi, guardi, da stamattina ho anche quest'irritazione alla pelle.

◆ Faccia vedere.

▲ Guardi, qui sulle braccia e sulla schiena soprattutto.

◆ È allergico a qualcosa?

▲ No.

◆ Venga qui, mi faccia vedere meglio. Hmmm, è stato molto tempo al sole?

▲ Beh, sì, però ho messo una crema solare.

◆ Lo so, ma a volte non basta. Potrebbe essere un colpo di sole o forse ha bevuto una bibita troppo fredda.

▲ Hmmm, sì, può darsi ...

◆ Allora, guardi, per un paio di giorni mangi in bianco, non beva alcolici e natural-mente non vada al sole. Le do anche una pomata per la pelle. La metta due o tre volte al giorno.

▲ Va bene, d'accordo.

◆ Se tra qualche giorno poi non si sente ancora bene, si rivolga a un medico.

Cerca nel dialogo le forme dell'imperativo formale (Lei) e completa la tabella.

infinito	imperativo (Lei)	infinito	imperativo (Lei)
dire	_____	mangiare	_____
sentire	_____	bere	_____
guardare	_____	andare	_____
fare	_____	mettere	_____
venire	_____	rivolgersi	_____

E 2·3

Noti delle differenze tra la forma del Lei dell'imperativo e quella del presente indicativo? Parlane con un compagno e poi in plenum.

3 Si riposi!

Queste persone non si sentono molto bene.
Lavorate in coppia e sulla base del loro problema
dategli dei consigli. Usate i verbi della lista.

(Non) mangi troppo!	(Non) vada al sole!
(Non) metta questa crema!	(Non) mi dica!
(Non) dorma!	(Non) faccia tardi!
(Non) si lavi!	(Non) venga!

andare dal dentista

non bere alcolici

non guardare la TV   restare a casa

non fumare

mettersi a letto   fare yoga   riposarsi   prendere un'aspirina

non lavorare   mangiare in bianco

fare un bagno caldo

rivolgersi a un medico   bere un tè caldo

leggere

dormire molto

7

4 Per star bene anche in vacanza

Completa lo schema secondo il modello.

E 4·5·6

> Le do una crema, **la metta** due volte al giorno!

In vacanza io

metto sempre una crema per il sole.   La metta anche Lei!

mangio spesso frutta.   _____

metto un cappello se vado in spiaggia.   _____

evito le ore molto calde.   _____

porto sempre dei medicinali.   _____

mi rilasso.   _____

faccio spesso sport.   _____

porto delle scarpe comode.   _____

evito cibi troppo grassi.   _____

E 7

5 Fumi meno!

Lavorate in piccoli gruppi. Ogni gruppo ha qualche minuto per scrivere più consigli possibili (imperativo formale) da dare a queste persone. Vince la squadra che ha il maggior numero di consigli corretti.

Che consiglio dareste a una persona che ...

dorme male, è stressata e fuma troppo.
è ingrassata tantissimo.
è stata troppo tempo al sole.

ha sempre problemi di stomaco.
ha spesso mal di testa.
ha una terribile allergia al polline.

 6 Faccia un po' di sport!

CD 22

- ▲ Allora, signor Natta, come va con la schiena? Un po' meglio?
- ◆ Macché! Mi fa sempre male.
- ▲ E tutti i massaggi che ha fatto? Non sono serviti a niente?
- ◆ Evidentemente no. Ieri sono stato di nuovo dal medico, mi ha detto che probabilmente è un problema di stress.
- ▲ Di stress?
- ◆ Sì, ha detto che devo imparare a rilassarmi e mi ha consigliato di fare un po' di sport.
- ▲ Mi sembra un'ottima idea! E che sport vuole fare?
- ◆ Mah, forse vado a correre un po', non lo so ...
- ▲ Hmm ... correre però non fa tanto bene alla schiena.
- ◆ E allora vado a giocare a calcio, oppure a tennis.
- ▲ Io avrei un'idea migliore. Perché non viene a fare tai chi con me?
- ◆ Mah, non lo so ... a me questo tipo di sport non piace tanto ...
- ▲ Sì, però per rilassarsi è l'ideale! Anch'io prima ero sempre stressato, ma da quando faccio tai chi mi sento benissimo.

Completa.

Il signor Natta ha problemi di _____ . Il suo collega, il signor Tecce, gli domanda se sta un po' _____ , ma lui risponde di no. Il suo medico dice che è un problema di stress e per questo gli ha _____ di fare un po' di sport. Il signor Tecce la trova un'_____ idea e gli domanda che sport vuole fare. Il signor Natta pensa di fare jogging, ma l'altro risponde che correre non fa _____ alla schiena e gli dice di avere un'idea _____ : il tai chi.

 7 Meglio o migliore? Benissimo o ottimo?

Forma delle frasi.

Quando fa molto caldo	è **meglio** bere molto. la cosa **migliore** è bere molto. fa **benissimo** bere molto. bere molto è un **ottimo** aiuto.

a. Per rilassarsi la cosa   alla pelle.
b. Se si hanno problemi di stomaco è   è l'acqua naturale.
c. Fare yoga è un   meglio   è andare in vacanza.
d. La prima volta che si va al mare è   migliore   modo per rilassarsi.
e. La sauna fa   benissimo   sport.
f. Quando si ha sete la bibita   ottimo/-a   alternativa alla medicina tradizionale.
g. Per la schiena il nuoto è un   molto bene   alla schiena.
h. L'omeopatia è un'   non bere alcolici.
i. Nuotare fa   stare poco al sole.

 8 Come combattete lo stress?

E voi cosa fate per combattere lo stress? Parlatene in piccoli gruppi.

E 8·9

9 Tempo di sport

Leggi il seguente testo.

Arriva l'estate e gli italiani si scoprono sportivi (sono 34 milioni gli italiani che praticano attività sportive nei mesi estivi contro i 24 milioni che le praticano tutto l'anno). I parchi si riempiono di gente che corre (anzi fa jogging), le palestre di persone che fanno ginnastica e le strade di campagna di ciclisti che pedalano.

Certo, l'ideale sarebbe fare sport regolarmente, non solo in estate, in ogni modo, se volete cominciare anche voi, non importa con quale sport, ecco alcune regole da seguire:

○ Scegliete lo sport in base all'età, alla costituzione fisica e ai vostri gusti.
○ Prima di cominciare fate un controllo medico.
○ Cominciate lentamente e se vi sentite stanchi fermatevi, lo sport dovrebbe essere un piacere e non una tortura.
○ Non andate a fare sport a stomaco vuoto, potrebbe essere pericoloso.
○ Bevete molta acqua e non aspettate la sete, bevete sia durante l'attività fisica che dopo.
○ Durante l'esercizio fisico evitate abiti troppo pesanti e abiti in plastica.
○ Non sottovalutate l'importanza delle scarpe da ginnastica. Compratele adatte al tipo di sport che avete scelto.

(da Salute, supplemento de la Repubblica, 7/05/2001)

Sottolinea nel testo le frasi che corrispondono ai disegni.

a.
b.
c.
d.
e.

> Scegliete lo sport adatto a voi!
> Non mangiate troppo!
> Fermatevi!
> Non vi fermate! / Non fermatevi!

Sottolineate nel testo tutte le forme all'imperativo plurale (voi). Notate delle differenze con il presente indicativo? In che posizione si trovano i pronomi?
Aggiungereste dei consigli? Parlatene in plenum.

E 10·11

Consigli per voi

Si lavora in piccoli gruppi. Ogni gruppo scrive una lista di problemi (circa otto).
A turno i gruppi leggono i problemi che hanno sulla propria lista. I partecipanti degli
altri gruppi devono dare dei consigli. Per ogni consiglio corretto si riceve un punto.
Vince la squadra che ha il maggior numero di consigli corretti.

 Lei fa sport?

Intervista il tuo compagno. Chiedigli ...

se fa o ha mai fatto sport.
quanto tempo alla settimana dedica alle attività sportive.
che tipo di sport preferisce e perché.
se c'è uno sport che non ha mai fatto e gli piacerebbe fare.
quale tipo di attività sportiva non gli piace per niente.

  Il tempo è solo una scusa!

D 23   *Ascolta il dialogo e decidi se le seguenti affermazioni sono vere o false.*

	sì	no
a. Francesca cerca di convincere suo marito ad andare in palestra.	☐	☐
b. Ernesto dice che ci andrebbe volentieri, ma purtroppo non ha tempo.	☐	☐
c. Francesca si preoccupa per la salute di suo marito.	☐	☐
d. Francesca dice a suo marito che è troppo grasso.	☐	☐
e. Secondo Ernesto fare sport è diventata una moda.	☐	☐
f. A Francesca piacciono gli uomini con i muscoli.	☐	☐
g. Ernesto decide di andare a giocare a calcio.	☐	☐

 Dai!

In coppia scegliete un ruolo e fate un dialogo.

A
Sei una persona molto impegnata con il lavoro,
ma anche un po' pigra. Nel poco tempo libero
che hai ti piace guardare la TV, ascoltare musica
o navigare su Internet. Ultimamente però hai
avuto un po' di problemi con la schiena.

B
Da poco ti sei iscritto/ a in palestra e ti senti
benissimo. Convinci un tuo amico/una tua
amica un po' pigro/-a a venire con te.

7

E INOLTRE...

 1 Medicine alternative

Completa il testo con le cifre mancanti.

30.000   5,5 milioni   nove milioni   tre

70%   13%   1999

Nove milioni di italiani, in prevalenza del Nord e donne, si rivolgono a omeopatia, massaggi, fitoterapia e agopuntura per curare i propri acciacchi. E in 10 anni sono triplicati.

_____ di italiani si sono ormai lasciati conquistare dalle cure alternative. È quanto emerge da un'indagine condotta dall'Istat nel _____ intervistando un campione formato da _____ famiglie e di cui solo ora sono stati elaborati i dati. Pari al 15,6% della popolazione totale, il numero di coloro che si rivolgono alla medicina alternativa è triplicato in meno di dieci anni anche se con notevoli differenze all'interno del Paese: un italiano su quattro al Nord, uno su sei al Centro e uno su 15 al Sud. A preferirle sono soprattutto le donne (_____ contro 3,5 milioni di uomini) e di buon livello culturale. Anche il 10,4% dei bambini fra i _____ e i cinque anni viene curato con la medicina alternativa. Tra le diverse forme di cure che vanno sotto l'unica etichetta di «alternative» è l'omeopatia la più popolare, seguita da massaggi, fitoterapia e agopuntura. Le ragioni per cui gli italiani vi si rivolgono sono estremamente diverse: il _____ degli intervistati le considera meno tossiche di quelle convenzionali, per il 22,6% rappresentano l'unico rimedio contro certe malattie, per il 20% sono più efficaci, mentre per il _____ instaurano un miglior rapporto tra medico e paziente. (...)

(da *TV Sorrisi e Canzoni*, 29 aprile – 5 maggio 2001)

 Scegli fra questi titoli quello che secondo te è più adatto al testo.

E 12·13 **a.** Medicine alternative, no grazie

b. Gli italiani scoprono l'agopuntura

c. Malattie italiane

d. Scelgo le «alternative»

 2 E tu?

Intervista il tuo compagno. Chiedigli...

se si è mai rivolto o si rivolge alle medicine alternative,
se sì, a quale tipo,
quali sono, secondo lui, i vantaggi e gli svantaggi della medicina alternativa.

Per comunicare

Ho mal di denti / testa ...
Sono stanco / stressato.
Ho problemi alla schiena.
Mi fa male la pancia / lo stomaco ...
Ho un'allergia al polline.
Mi sono scottato.

La stanno già servendo?
Ha mangiato qualcosa che Le ha fatto male?

Che sport fai / fa?
Faccio tai chi.
Gioco a calcio.
Mi sembra un'ottima idea.
Io avrei un'idea migliore.

È allergico a qualcosa?

Grammatica

L'imperativo forma di cortesia (Lei).

*Per i verbi regolari in -are la desinenza dell'imperativo è
-i, per i verbi regolari in -ere o -ire è -a.*

mangiare	→	**Mangi** meno pasta!
prendere	→	**Prenda** un'aspirina!
dormire	→	**Dorma** di più!
spedire	→	**Spedisca** questa cartolina!

*I verbi con un presente irregolare sono irregolari anche
alla 3ª persona singolare dell'imperativo. Ecco le forme
irregolari più importanti:*

essere	→	sia	avere	→	abbia
andare	→	vada	fare	→	faccia
dare	→	dia	tenere	→	tenga
dire	→	dica	venire	→	venga

Posizione del pronome nell'imperativo (Lei)

*Alla forma di cortesia dell'imperativo (Lei) i pronomi
vanno prima del verbo.*

La metta due volte al giorno!
Non **lo mangi!** / **Si alzi!**

Comparativi e superlativi irregolari

buono	migliore	ottimo
bene	meglio	benissimo

Imperativo seconda persona plurale (voi)

*La 2ª persona plurale dell'imperativo (voi) è quasi
sempre uguale alla 2ª persona plurale del presente.*

Scegliete lo sport adatto! / Non **esagerate!**

Questi verbi sono un'eccezione:

avere	→	abbiate
essere	→	siate
sapere	→	sappiate

I pronomi si uniscono all'imperativo.

Fermatevi! **Mangiatele!**

*Nell'imperativo negativo i pronomi possono essere uniti al
verbo o andare prima.*

Non **bevetela!** / Non **la** bevete!

Nomi con plurale irregolare

il braccio	→	le braccia
il dito	→	le dita
il ginocchio	→	le ginocchia
il labbro	→	le labbra
la mano	→	le mani
l'orecchio	→	le orecchie

7

Facciamo il punto

Si gioca in gruppi di 3 – 5 persone con 1 dado e pedine. A turno si lancia il dado. Si avanza di tante caselle quanti sono i punti indicati sul dado. Il giocatore che arriva su una casella, deve formare una frase (consiglio, invito) che contenga i due oggetti o le due attività indicate sulla casella stessa.

I numeri 1 – 6 indicano:

1 = avanzare di una casella e lanciare di nuovo il dado

2 = dare un consiglio con il tu
   (es. *Non viaggiare in treno, prendi l'aereo!*)

3 = dare un consiglio con il Lei
   (es. *Non viaggi in aereo, prenda il treno!*)

4 = noi (es. *Non prendiamo il treno, viaggiamo in aereo!*)

5 = voi (es. *Non viaggiate in aereo, prendete il treno!*)

6 = avanzare fino ad una casella con un compito.

Vince chi arriva prima al traguardo.

Il mondo del lavoro

1 Offerte di lavoro

Leggi gli annunci e completa la tabella.

a.

Progetto Lavoro
Azienda leader nei servizi per l'impiego ricerca

DOCENTE

sede di Milano; laurea, conoscenza ambiente
DOS, WINDOWS, Internet, disponibilità
part-time. Curriculum a: Jobline@tiscalinet.it

b.

Aziende di Milano centro cercano

2 receptionist

con esperienza di lavori di segreteria.
Requisiti: diploma o laurea, max
30 anni, conoscenza dell'inglese.
Curriculum a: Dottor Morici, Argot,
corso XXIII Marzo 140, 20100 Milano

c.

Azienda di Roma cerca

2 SEGRETARIE COMMERCIALI

massimo 35 anni, conoscenza tedesco, Office.
Curriculum a: Dottor Brandini, IBC,
via Emilio De Marchi 52, 00169 Roma

d.

Azienda di Bologna cerca

4 PROGRAMMATORI

Requisiti: età 20-30 anni, buona esperienza,
militare assolto.
Curriculum a: Ecco, att.ne Paola Brandi,
Via Garibaldi 77/a, 20159 Milano

e.

Clinica privata di Firenze cerca

due infermieri professionali

per 6 mesi (possibilità assunzione a tempo
indeterminato), 30-35 anni, esperienza,
disponibili ai turni.
Curriculum a: Dott.ssa Marini, Vedior,
Viale Piave 33, 20129 Milano

Completa.

Annuncio	a.	b.	c.	d.	e.
Professione					
Luogo di lavoro					
Titolo di studio					
Requisiti					

Rispondi alle seguenti domande.

In quale offerta di lavoro si cercano persone per un periodo determinato? ☐

In quale offerta si richiede disponibilità a lavorare in orari diversi? ☐

Quale offerta esclude uomini che non hanno ancora prestato il servizio militare? ☐

In quale offerta si richiede disponibilità a lavorare per mezza giornata? ☐

 2 Prima o poi ...

D 24

Matteo e Fabiano hanno appena finito gli studi e parlano dei loro progetti per il futuro.
Ascolta e decidi a quale dei due giovani si riferiscono le seguenti affermazioni.

Chi ...	Matteo	Fabiano
vuole andare all'estero?	☐	☐
ha dei parenti all'estero?	☐	☐
comincia a lavorare come cameriere?	☐	☐
comincia a lavorare in un'agenzia assicurativa?	☐	☐
deve fare un corso di formazione?	☐	☐
vuole aprire un'azienda agrituristica?	☐	☐

■ Allora Matteo, adesso che ti sei laureato cosa hai intenzione di fare?

▼ Voglio andarmene per un po' di tempo all'estero.

■ All'estero? E dove?

▼ In Irlanda. Penso che andrò a dare una mano a mio zio,
quello che ha il ristorante a Dublino.

■ Non vorrai andare a fare il cameriere dopo tanta fatica per laurearti!

▼ Perché no? Oggi bisogna essere flessibili. E poi credo che mi farà bene
fare un'esperienza diversa prima di cominciare a lavorare sul serio ...
anzi, secondo me, farebbe bene anche a te.

■ Mah, non lo so, sai, mi hanno offerto un posto in un'agenzia assicurativa.

▼ In un'agenzia assicurativa?

■ Beh, sì, lo so che non è il massimo, però penso che accetterò.

▼ Ma Fabiano, dici sul serio? In un'agenzia assicurativa? E quando inizi?

■ Mah, più o meno fra due mesi perché prima dovrò fare un corso di formazione.

▼ Hmm ... però prima o poi la nostra azienda agrituristica la apriremo, vero?

■ Sì, sì, certo! Quando saremo più vecchi e avremo un po' di soldi!

E 1

Nel dialogo compare una nuova forma verbale, il futuro.
Rileggilo e sottolineane le forme.

8

3 Progetti

I genitori di Damiano hanno per lui dei progetti diversi dai suoi.
Quali sono secondo te i progetti dei genitori e quali quelli di Damiano?

dopo il diploma andare all'università / dopo il diploma viaggiare un po'
iscriversi alla facoltà di ingegneria / iscriversi alla facoltà di storia dell'arte
comprare una macchina / comprare una moto
vivere con i genitori fino al matrimonio / andare a vivere da solo
trovare un posto fisso / fare diverse esperienze
restare nella sua città / trasferirsi all'estero
aprire un'impresa / aprire un negozio di antiquariato

I genitori raccontano:
Dopo il diploma nostro figlio andrà all'università ...

Damiano racconta:
Dopo il diploma viaggerò ...

	-ò	andare	→ andrò
	-ai	avere	→ avrò
accett**e**r	-à	dovere	→ dovrò
decider	-emo	essere	→ sarò
aprir	-ete	fare	→ farò
	-anno	vivere	→ vivrò
		volere	→ vorrò

E 2·3

> Quando avremo un po' di soldi apriremo un bar.
> Prima o poi andrò a vivere all'estero.
> Fra quattro anni andrò in pensione.

4 Quando ...

Completa e confrontati con un compagno.

Quando avrò dei soldi _____

Fra un mese _____

Prima o poi _____

Fra sei anni _____

Quando sarò vecchio/-a _____

Fra un anno _____

Quando avrò un po' di tempo _____

5 Oggi bisogna ...

Quali sono secondo voi i requisiti necessari per trovare lavoro oggi? E perché? Parlatene in coppia.

> Oggi bisogna essere flessibili. =
> Oggi si deve essere flessibili.

8

essere:

affascinanti   flessibili   divertenti   ricchi   sensibili   interessanti

intelligenti   puntuali   simpatici   ordinati   creativi

calmi   seri   belli   famosi   affidabili

avere:

tempo   un computer   un cellulare   una famiglia

buoni contatti   buone conoscenze linguistiche

conoscenze di informatica

fortuna   una macchina

la patente   bambini

E 4

6 Egregio dottor ...

Completa la lettera con le seguenti espressioni.

come guida turistica

correttamente

presso

a Sua disposizione

all'annuncio

ho frequentato

La ringrazio

cordiali saluti

domanda

Francesca Bignami   Spett.le ...
Via Appiani, 23   Indirizzo ...
20121 Milano   CAP ... /Città ...
Tel. 02/76 23 456

e-mail: f.bignami@tiscalinet.it

                                                                                           Milano, 01/06/2002

Egregio dottor ... ,

in riferimento _____ pubblicato su "Donna Moderna" del 30/05/2002 mi

permetto di presentare _____ per l'impiego in questione.

Ho 25 anni, sono nubile e risiedo a Milano. _____ il liceo

linguistico "Giuseppe Mazzini" e mi sono diplomata con la votazione di 54/60.

Dal gennaio al settembre 1998 ho lavorato _____ presso l'agenzia

"L'albero dei viaggi ", poi mi sono trasferita per otto mesi in Inghilterra dove ho lavorato

come segretaria _____ la scuola di lingue EF di Southampthon. Al mio ritorno in

Italia ho lavorato per due anni all'aeroporto di Linate come assistente di terra. Oltre

all'inglese parlo _____ anche lo spagnolo (Diploma Básico de Español).

Le invio il mio curriculum e rimango _____ per ulteriori informazioni

che sarò lieta di fornirLe in occasione di un eventuale incontro.

_____ per la Sua gentile attenzione e Le porgo i miei più _____.

Francesca Bignami

Allegato: curriculum vitae

Rileggi la lettera e, insieme a un compagno, di' a quale degli annunci
a pagina 88 è interessata Francesca.

E 5·6

7 La o Le?

Con quali verbi sono usati nella lettera i pronomi La e Le? Cercali e scrivili qui sotto.

La   Le

_____   _____

                                              _____

F 7

8 Una lettera

Anche tu sei interessato a uno degli annunci di pagina 88.
Scrivi una lettera.

9 Saranno le sei!

▼ Scusa, Enrica, sai che ore sono?

◆ No, non lo so, non ho l'orologio, ma saranno le sei.

▼ Oddio! Già le sei! Se non mi sbrigo, non ce la faccio ad andare a prendere Martina a scuola.

◆ Beh, scusa, se non ce la fai, lascia stare e continua domani!

▼ Hmmm, sì, mi sa che faccio così ... guarda non vedo l'ora di cominciare a lavorare per conto mio.

◆ Sì, però non credere di lavorare di meno. Anzi, secondo me un lavoro autonomo richiede anche maggiori responsabilità.

▼ Sì, però puoi gestire il tuo tempo come vuoi!

◆ Sì, questo è vero, anzi, devo dire che qualche volta vorrei avere anch'io il tuo coraggio e mettermi in proprio.

▼ Beh, visto che anche tuo marito è architetto potresti aprire uno studio con lui!

◆ Sì, ne abbiamo parlato, ma lui non ne ha voglia. Preferisce il posto fisso.

▼ Allora, guarda, ti prometto che se un giorno avrò bisogno di un socio, chiamerò te!

Cerca nel dialogo le frasi che iniziano con «se» e scrivile qui di seguito.

_____

_____

_____

Quali tempi verbali compaiono nelle tre frasi?
Parlane con un compagno.

Avete parlato **di lavoro**?
Sì, **ne** abbiamo parlato.
Hai voglia **di aprire** uno studio?
No, non **ne** ho voglia.

10 Se ...

Unisci le frasi della prima colonna con quelle della seconda.

1. Se non ti sbrighi,
2. Se non ha la macchina,
3. Se avrò bisogno di una mano,
4. Se vedi Giulio,
5. Se mia moglie non è troppo stanca,
6. Se riesco a trovare ancora un biglietto,
7. Se avrà di nuovo problemi con il computer,

a. stasera vi veniamo a trovare.
b. chiami un tecnico.
c. digli che lo sto cercando.
d. vengo anch'io al concerto domenica.
e. arrivi di nuovo tardi al lavoro.
f. ti chiamerò.
g. La vengo a prendere io.

E 8

11 Se imparerò bene l'italiano, ...

Completa le frasi e poi confrontati con un compagno.

1. Se imparerò bene l'italiano, _____

2. Se avrò un po' di tempo, _____

3. Se decido di andare a mangiar fuori, _____

4. Se arrivo a casa e non c'è nessuno, _____

5. Se deciderò di fare un corso, _____

6. Se avrò abbastanza soldi, _____

8

12 Di chi sarà?

Che diresti in queste situazioni? Fai delle supposizioni.

> Che ore sono?
> Mah, **saranno** le sei.

Devi uscire, ma non trovi le chiavi della macchina. _____

Sono le undici di sera e suonano alla porta. _____

Hai dei dubbi sull'età del tuo capo. _____

Ti arriva uno strano pacco con una strana forma. _____

Capisci dall'accento che la persona con cui
sta parlando un tuo amico è straniera. _____

Trovi una cartolina senza firma nella
tua cassetta delle lettere. _____

E 9·10

Qualcosa da leggere

Qui di seguito hai alcune parti di un articolo.
Leggile e trova per ogni parte il titolo giusto.

Uomini e donne al lavoro.
a. # Stesso trattamento?

Orario di lavoro e part-time. c.

b. *Rapporto sul lavoro in Europa:*
mal di schiena e stress per 1 su 3.

Vacanze?
Prima chiediamo al capo. d.

Schiavi del computer e stressati. Sono i lavoratori europei del 2000 nella fotografia scattata dall'Osservatorio Ue.
Il rapporto sull'occupazione è redatto ogni cinque anni, ma la situazione delle condizioni del lavoro non è migliorata se paragonata a quella del 1995 e del 1990. (...) Ecco quindi che il 33% delle persone occupate in lavoro dipendente o indipendente soffrono di mal di schiena, mentre lo stress è la seconda causa di malattia: ne soffre il 28% dei lavoratori.

1

In media nella Ue l'orario settimanale di lavoro è di 38 ore, con grandi differenze tra i lavoratori dipendenti (36,5 ore) e quelli indipendenti (46 ore alla settimana).
Il 17% delle persone sono impegnate part-time, con una grande differenza tra uomini e donne: in media lavora a tempo parziale il 32% delle donne contro il 6% degli uomini.

3

A favorire lo stress è soprattutto l'eccessiva intensità del ritmo: la metà degli europei passa almeno un quarto d'ora del proprio orario di lavoro sotto pressione, e solo tre lavoratori su cinque possono decidere autonomamente se e quando prendere vacanze e giorni di riposo.
Continua inoltre a salire il numero delle persone che svolge la propria attività tramite computer (dal 39% del 1995 si è passati al 41% nel 2000).

2

La differenza di trattamento tra uomini e donne è evidente non solo nella struttura dell'occupazione (gli uomini sono più numerosi nei lavori di maggiore prestigio e potere), ma anche all'interno dello stesso tipo di attività, con gli uomini che generalmente occupano posizioni più elevate.
Il carico di lavoro femminile è inoltre aggravato da attività familiari: per più di un'ora al giorno le lavoratrici si dedicano anche alla cura dei figli (41%) e a cucinare (64%). Tra i lavoratori solo il 24% dedica più di un'ora al giorno ai figli, appena il 13% alla cucina e solo il 12% alle faccende di casa.

4

(da *la Repubblica*, 7/08/2001)

In quale testo si dice che:

	1	2	3	4
a. I lavoratori non possono andare in vacanza quando vogliono.	☐	☐	☐	☐
b. Le donne non occupano le stesse posizioni degli uomini.	☐	☐	☐	☐
c. È aumentato il numero di persone che lavora con il computer.	☐	☐	☐	☐
d. Gli uomini dedicano meno tempo alla casa e alla famiglia.	☐	☐	☐	☐
e. Moltissimi lavoratori soffrono di mal di schiena.	☐	☐	☐	☐
f. Gli uomini hanno delle posizioni migliori delle donne.	☐	☐	☐	☐
g. I lavoratori indipendenti lavorano di più di quelli dipendenti.	☐	☐	☐	☐
h. Le donne che lavorano part-time sono più degli uomini.	☐	☐	☐	☐

E 11

14 Il tuo lavoro

Intervista un tuo compagno e chiedigli ...

quante ore lavora/studia in media al giorno.
se ha mai avuto problemi di salute a causa del lavoro/dello studio.
se usa il computer per il suo lavoro/studio.
se può decidere autonomamente quando andare in vacanza.
se secondo lui/lei nel lavoro esiste ancora una differenza di trattamento tra uomini e donne.
se secondo lui/lei i lavori in casa sono divisi «equamente» tra uomini e donne.

Riferisci poi i risultati in plenum.

15 Interviste

*Ascolta le interviste a tre italiani che vivono e lavorano all'estero
e completa la tabella con i dati mancanti.*

Nome   _____

vive   _____

da   _____

professione   _____

progetti per il futuro _____

Nome   _____

vive   _____

da   _____

professione   _____

progetti per il futuro _____

Nome   _____

vive   _____

da   _____

professione   _____

progetti per il futuro _____

8

16 Lavorare all'estero

*Avete mai pensato di andare a lavorare all'estero o conoscete qualcuno che vuole farlo?
In piccoli gruppi parlate dei vostri o dei suoi progetti.*

E 12

E INOLTRE...

 1 Curriculum vitae

*Qui di seguito hai un modello di curriculum vitae. Completalo
con le informazioni che trovi in ordine sparso qui a destra.*

Luca Roversi

CURRICULUM VITAE

DATI PERSONALI

Nome e cognome:

Luogo e data di nascita:

Stato civile:

Indirizzo:

Telefono ed e-mail:

STUDI

SPECIALIZZAZIONI

ESPERIENZE PROFESSIONALI

LINGUE STRANIERE

PRATICA SISTEMI INFORMATICI

INTERESSI PERSONALI

Via Costantino Beltrami 3/a
00158 Roma

celibe

lurover@libero.it

Buona conoscenza dei sistemi operativi:
WINDOWS, EXCEL

tel. 06-57 50 567

1995 traduzioni dall'inglese per la rivista
"Internazionale"

1996–1997 Corso di formazione per giorna-
listi presso la libera università internazionale
degli studi " Luiss" di Roma

Gennaio – settembre 2000 stage presso
"Il Messaggero" di Roma

Inglese (ottime conoscenze sia scritto
che parlato)

Cinema, teatro, musica jazz, sport

1988 Diploma di maturità, Liceo Scientifico
"Giuseppe Di Vittorio", Cagliari

Cagliari, 28/04/1969

1994 Laurea in scienze politiche, Università
"La Sapienza", Roma

8

Per comunicare

Che hai/ha intenzione di fare?
Voglio andarmene via.
Oggi bisogna essere flessibili.
Non è il massimo, però ...

Egregio dottore/Gentile dottoressa
Spett.le (spettabile) ditta
Cordiali saluti

Prima o poi mi sposerò.
Fra due anni tornerò in Italia.
Che ore saranno?
Quanti anni avrà Lucia?
Mi sa che faccio così.
Non vedo l'ora di vederti.

Vorrei mettermi in proprio.
Io preferisco il posto fisso.

Grammatica

Il futuro semplice

Forme: vedi l'appendice della grammatica a pag. 204.

In italiano il futuro non si usa solo per esprimere delle azioni future ma anche per fare delle supposizioni.

Che cosa **farai** dopo il diploma?
Andrò un anno all'estero.

Dove sono i ragazzi?
Mah, **saranno** in giardino!

Bisogna

Oggi **bisogna essere** flessibili.

*Con **bisogna** + infinito si esprime una necessità. **Bisogna** in questo caso è invariabile.*

La o Le

La ringrazio.
Le telefono domani.

In italiano ci sono verbi che sono seguiti dal complemento oggetto (diretto) e altri seguiti dal complemento di termine (indiretto). Una lista di questi verbi è riportata nell'appendice della grammatica a p. 195.

Ne pronome

*Nella funzione di pronome **ne** sostituisce complementi introdotti dalla preposizione **di**.*

Avete parlato **della festa?**
Sì, **ne** abbiamo parlato.

Il periodo ipotetico della realtà

Si parla di periodo ipotetico della realtà quando la condizione è abbastanza certa.

Condizione	*Conseguenza*
Se non piove,	usciamo.
Se non ti sbrighi,	perderai il treno.
Se troverò un altro lavoro,	me ne andrò.
Se vedi Carlo,	digli di chiamarmi.

8

1 Case annunci

Collega le foto all' annuncio corrispondente.

1. **CASALE RISTRUTTURATO IN STILE**, 200mq, 2 saloni, 4 camere, 4 bagni, cucina, 3000 mq parco, vendesi. Monge immobiliare Tel. 06/6140555

2. **ATTICO** salone, studio, 2 camere, cameretta, cucina, doppi servizi, terrazze, € 1900 compreso condominio. Casa Bank 06/3244800

3. **MANSARDA PANORAMICA** ingresso, soggiorno, camera, cucinotto, bagno, ampio terrazzo, vendesi € 235.000. Gabetti AG. Trastevere 06/5819993

4. **CENTRO STORICO** delizioso monolocale, camera con angolo cottura, bagno, arredato € 700 mensili cod. 2001/0103 www.gabetti.it

5. **VILLINO BIFAMILIARE** ingresso, soggiorno doppio con camino, cucina, 2 camere matrimoniali, doppi servizi, balconi, terrazzo, completamente ristrutturato vendesi € 230.000. Tecnocasa St. Montespaccato 06/6140388

Queste persone stanno cercando casa. Leggi gli annunci alla pagina precedente e decidi quale potrebbe andare bene per loro.

a. Aldo e Anita, pensionati, vorrebbero comprare una casa fuori città tranquilla, ma non troppo isolata, dove poter ospitare figli e nipoti.

b. Marco si è trasferito da poco in città per motivi di lavoro e ci resterà solo per un anno. Cerca un piccolo appartamento in affitto in centro.

c. Sabrina e Massimo hanno tre bambini e due gatti. Cercano un appartamento in affitto con due bagni, una grande terrazza e lo spazio per lavorare in casa.

Cerca negli annunci le parole usate per definire ...

un appartamento con una sola stanza _____

due bagni _____

un appartamento completo di mobili _____

un appartamento all'ultimo piano con
una grande terrazza _____

una casa di campagna _____

una casa per due famiglie _____

E 1

9

  2 Cerco casa

D 27

Ascolta il dialogo e metti una X accanto alle caratteristiche che dovrebbe avere l'appartamento che cerca Giulia.

L'appartamento deve essere ...

luminoso ☐
grande ☐
centrale ☐
tranquillo ☐
in una zona ben collegata ☐
economico ☐
isolato ☐

deve avere ...

il balcone ☐
una cucina grande ☐
il garage ☐
due bagni ☐
una cantina ☐
dei negozi vicini ☐
una terrazza grande ☐

■ Allora, ci siete andati poi a vedere quell'appartamento?

▼ Sì, ma non andava bene, cioè l'appartamento di per sé era carino,
ma il posto mi è sembrato un po' troppo isolato.

■ Beh, sì, però è una bella zona. Tranquilla, piena di verde.

▼ Sì, certo, però per me è importante che ci sia un po' di vita,
che i negozi siano vicini, e soprattutto che sia una zona ben collegata.

■ Eh, lo capisco, in fondo adesso abiti in un bel quartiere ...

▼ Con la metropolitana a due passi ...

■ Hmmm ... adesso che ci penso. Io ho un collega che si trasferisce,
mi sembra che abiti proprio dalle tue parti, se vuoi mi informo.

▼ Ma quant'è grande la casa? Perché, insomma, a noi serve un appartamento
di almeno cento metri quadrati.

■ Mah, penso che sia abbastanza grande, dovrebbero essere quattro stanze più servizi.

▼ Hmm. E senti, il balcone c'è? Perché per me è fondamentale che ci sia un balcone,
anche piccolo, ma il balcone ci deve essere.

■ Guarda, non vorrei sbagliarmi, ma mi sembra che abbia addirittura una terrazza.

▼ No! Fantastico! E scusa, allora perché si trasferisce?

■ Non ho ben capito, ma credo che la moglie voglia avvicinarsi ai genitori.

▼ E senti, per caso sai quanto paga d'affitto?

■ No, questo non lo so. Comunque se vuoi ti do il numero,
così chiedi tutto direttamente a lui.

> Una **bella** zona.
> Un **bel** quartiere.

Leggi il dialogo e completa.

Giulia sta cercando un nuovo appartamento.
Per lei è importante/fondamentale che

_____

_____

_____

_____

Carlo ha un collega che vuole
trasferirsi. Gli sembra che

_____

Carlo non conosce bene l'appartamento,
ma pensa che / gli sembra che _____

_____

Carlo non sa perché il collega si trasferisce,
ma crede che_____

abit**are**	vend**ere**	sent**ire**	**essere**	**avere**
abit**i**	vend**a**	sent**a**	sia	abbia
abit**i**	vend**a**	sent**a**	sia	abbia
abit**i**	vend**a**	sent**a**	sia	abbia
abit**iamo**	vend**iamo**	sent**iamo**	siamo	abbiamo
abit**iate**	vend**iate**	sent**iate**	siate	abbiate
abit**ino**	vend**ano**	sent**ano**	siano	abbiano

E 2·3

3 È importante che ...

Qui sotto trovate alcune caratteristiche di cui si tiene conto quando si cerca un apparta-mento / una casa. Quali sono importanti per voi? Parlatene in piccoli gruppi.

centrale
ben collegato
economico
grande
con un giardino
in una zona piena di verde

tranquillo
luminoso
con un balcone
con un garage
con l'ascensore

> È importante che **sia** grande.
> È fondamentale che **ci sia** l'ascensore.
> È necessario che **abbia** un balcone.

Per me è importante che l'appartamento/la casa abbia un garage.

 E 4

4 Penso che ...

Guardate le foto di queste persone. In coppia fate delle ipotesi su cosa fanno, in quale di questi posti vivono e perché.

> Credo che
> Penso che   **abiti** nella casa in centro.

Anna e Marco Ghezzi

Cristina Poggi

Guido Miglio

a.

b.

c.

Penso che Cristina viva da sola, sia ...
Sì, anch'io penso che .../ No, io invece credo che ...

E 5·6

5 Ti descrivo la mia casa

Leggi la e-mail di Alessandra.

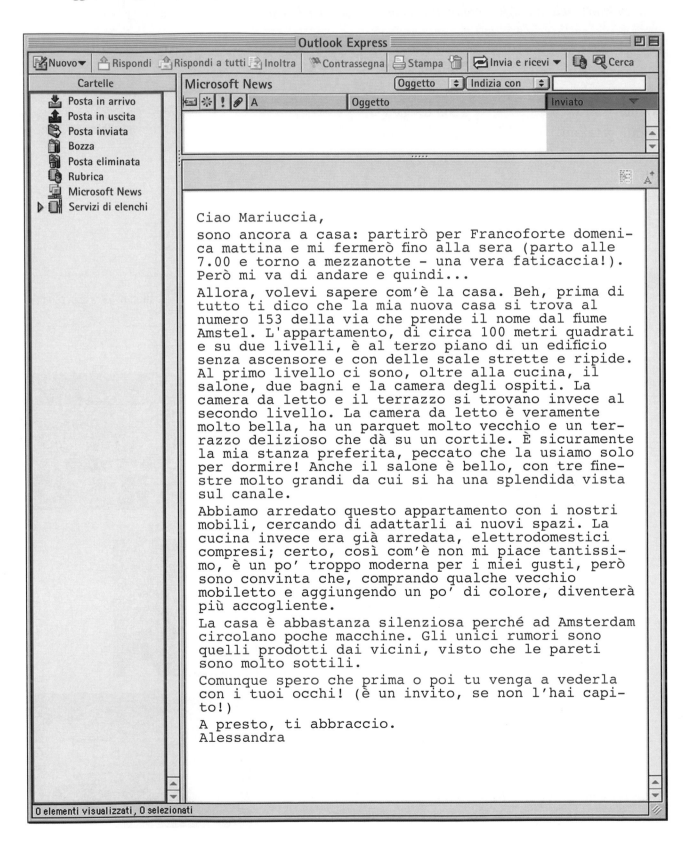

Ciao Mariuccia,

sono ancora a casa: partirò per Francoforte domenica mattina e mi fermerò fino alla sera (parto alle 7.00 e torno a mezzanotte - una vera faticaccia!). Però mi va di andare e quindi...

Allora, volevi sapere com'è la casa. Beh, prima di tutto ti dico che la mia nuova casa si trova al numero 153 della via che prende il nome dal fiume Amstel. L'appartamento, di circa 100 metri quadrati e su due livelli, è al terzo piano di un edificio senza ascensore e con delle scale strette e ripide. Al primo livello ci sono, oltre alla cucina, il salone, due bagni e la camera degli ospiti. La camera da letto e il terrazzo si trovano invece al secondo livello. La camera da letto è veramente molto bella, ha un parquet molto vecchio e un terrazzo delizioso che dà su un cortile. È sicuramente la mia stanza preferita, peccato che la usiamo solo per dormire! Anche il salone è bello, con tre finestre molto grandi da cui si ha una splendida vista sul canale.

Abbiamo arredato questo appartamento con i nostri mobili, cercando di adattarli ai nuovi spazi. La cucina invece era già arredata, elettrodomestici compresi; certo, così com'è non mi piace tantissimo, è un po' troppo moderna per i miei gusti, però sono convinta che, comprando qualche vecchio mobiletto e aggiungendo un po' di colore, diventerà più accogliente.

La casa è abbastanza silenziosa perché ad Amsterdam circolano poche macchine. Gli unici rumori sono quelli prodotti dai vicini, visto che le pareti sono molto sottili.

Comunque spero che prima o poi tu venga a vederla con i tuoi occhi! (è un invito, se non l'hai capito!)

A presto, ti abbraccio.
Alessandra

Come ti immagini la casa di Alessandra?
Disegnala in base alla sua descrizione e
poi confronta il disegno con un compagno.

> Spero che tu **venga.**

E 7·8

6 **Bella, accogliente ...**

Quali aggettivi usereste per descrivere la vostra casa?
Qual è la stanza che amate di più, quella in cui passate più tempo?
E perché? Parlatene in piccoli gruppi.

7 **Soluzioni**

Trova delle soluzioni ai seguenti problemi. Usa il gerundio.

> **Comprando** qualche vecchio mobile ... =
> **Se si compra** qualche vecchio mobile ...

La cucina è un po' fredda.
Comprando qualche vecchio mobile, diventerà più accogliente.

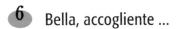

La casa è un po' buia.	vendere un po' di mobili	comprare un po' di piante
In salone c'è poca luce.		
Il balcone è un po' spoglio.	aggiungere un po' di colore	
L'appartamento è un po' noioso.		comprare una lampada nuova
Il salone è troppo pieno.	dipingere le pareti di bianco	

E 9·10

  8 **Ma sei sicura?**

D 28

Ascolta il dialogo e rispondi alle seguenti domande.

Che cosa vuole fare Antonella?
Perché Stefania non è d'accordo con la scelta dell'amica?
Che alternative propone Stefania ad Antonella?

■ Antonella, ma sei sicura? Vuoi davvero scambiare la tua casa?

▼ Perché no, scusa?

■ Mah, io sinceramente non mi fiderei a lasciare la mia casa a persone che non conosco.

▼ Sì, è vero che non le conosco, però suppongo che l'agenzia faccia dei controlli.

■ Mah, non lo so. E poi che ne sai com'è la casa in cui vai? Magari è sporca, brutta …

▼ Senti, ci sono tantissime persone ormai che scambiano le proprie case quando vanno in vacanza. E poi provo, se va male …

■ Mah, secondo me è meglio prendere un appartamento in affitto.

▼ Beh, prima di tutto scambiare una casa è molto più conveniente che affittarne una. E poi per me è anche interessante vedere come vivono altre persone, che oggetti hanno in casa, cosa usano …

■ Se lo dici tu …

E 11

▼ Poi guarda, sono sicura che la casa in cui andremo è più bella della nostra, pensa, è su due piani, con un giardino grandissimo. Anzi se vuoi, puoi venirci a trovare, così magari il prossimo anno scambiate anche voi la vostra!

fare
faccia
faccia
faccia
facciamo
facciate
facciano

9 Siete d'accordo?

Metti una X sull'affermazione con cui ti trovi d'accordo e poi confrontati con un compagno.

Scambiare la propria casa con un'altra è più conveniente che prenderne una in affitto. ☐

Vivere in una casa di altre persone è più interessante che vivere in una casa in affitto. ☐

Prendere in affitto una casa è meno rischioso che scambiarne una. ☐

La casa in cui si vive di solito è tenuta meglio di una in affitto. ☐

Prendere in affitto una casa è più anonimo che scambiarne una. ☐

E 12

> Scambiare una casa è **più** conveniente **che** affittarne una.
> Questa casa è **più** bella **della** nostra.

Credo che		
Penso che	+	congiuntivo
Suppongo che		
Secondo me		
Per me	+	indicativo
Sono sicuro che		

10 Secondo me …

In coppia scegliete un ruolo e fate un dialogo.

A Quest'anno hai deciso di scambiare la tua casa con quella di una famiglia in un altro Paese. L'idea di vivere in casa di altre persone ti piace, inoltre la cosa ti sembra conveniente da un punto di vista economico.

B Un amico/Un'amica ti racconta di voler scambiare la sua casa. A te non sembra una buona idea. Cerca di dissuaderlo/-a .

11 E voi?

Scambiereste mai la vostra casa? Parlatene in piccoli gruppi. Poi riferite in plenum.

12 Come vi trovate?

029

Ascolta e segna con una X la risposta esatta.

1. L'uomo che si è trasferito
   - a. è sposato. ☐
   - b. non è sposato. ☐

2. Prima di trasferirsi abitava
   - a. in un altro quartiere del centro. ☐
   - b. in periferia. ☐

3. L'uomo
   - a. ha più di un figlio. ☐
   - b. ha un solo figlio. ☐
   - c. non ha figli. ☐

4. Il nuovo appartamento è
   - a. al terzo piano. ☐
   - b. all'ultimo piano. ☐
   - c. al primo piano. ☐

5. L'uomo va a fare la spesa
   - a. a piedi. ☐
   - b. con il motorino. ☐
   - c. in macchina. ☐

6. I nuovi vicini
   - a. gli hanno fatto una buona impressione. ☐
   - b. non li ha mai visti. ☐
   - c. gli hanno prestato spesso delle uova. ☐

13 Abitare in centro

In piccoli gruppi fate un sondaggio e poi riferite i risultati in plenum.

Dove abitate? (centro/periferia)
Avete sempre abitato nello stesso posto?
Quali servizi (scuole, uffici postali ecc.) ci sono nel vostro quartiere?
Quali invece mancano?
Quali sono secondo voi i vantaggi del «centro»?
Quali gli svantaggi?
Che tipo di rapporti avete con i vicini?

E INOLTRE...

1 Arrediamo una casa

A quale stanza sono destinati i vari mobili?
In coppia decidete come arredare l'appartamento.

specchio

letto

frigorifero

poltrona

libreria

lampada

tappeto

sedia

comodino

water

divano

vasca da bagno

lavandino

armadio

lavabo

scrivania

tavolo

cucina a gas

bidet

E 13·14

2 E voi?

Volete rinnovare l'arredamento del vostro appartamento.
Quali mobili cambiereste e quali invece no? Perché? Parlatene in coppia.

Per comunicare

Il posto mi è sembrato un po' isolato.
Per me è importante che l'appartamento sia
luminoso/tranquillo.
È necessario che ci siano dei negozi vicino.

Io sinceramente non mi fiderei!
Suppongo che l'agenzia faccia dei controlli.

Penso che sia abbastanza grande.
Credo che abbia tre stanze.
Mi sembra che abiti lì vicino.

Sai per caso quanto paga d'affitto?
Spero che tu venga a trovarmi.

Grammatica

Il congiuntivo presente

Forme: vedi l'appendice della grammatica a pag. 205.

*Il congiuntivo si usa quasi esclusivamente in frasi
dipendenti soprattutto per esprimere la posizione
soggettiva di chi parla rispetto a certi eventi o
circostanze.*

Credo che
Penso che   Carla **abiti** lì da due anni.
Mi sembra che
Suppongo che

Attenzione, dopo queste espressioni si usa l'indicativo:

Secondo me
Per me   **arriva** alle 7.00.
Sono sicuro che

*Il congiuntivo si usa anche dopo le espressioni
impersonali come:*

È necessario che
È importante che   la casa **abbia** un giardino.
È fondamentale che

e dopo verbi che indicano speranza:

Spero che tu **venga** a trovarmi.

Il periodo ipotetico con il gerundio

Comprando dei mobili nuovi l'appartamento
diventerà più accogliente.=
Se compro dei mobili nuovi l'appartamento diventerà
più accogliente.

L'aggettivo *bello*

*Quando l'aggettivo **bello** precede un nome si comporta
come un articolo determinativo.*

Un **bel** quartiere   Dei **bei** bambini
Una **bella** casa   Delle **belle** scarpe
Un **bell**'appartamento   Dei **begli** stivali

Il comparativo

*Il secondo termine di paragone è introdotto da **di** o da
che*

Stefania è **più** alta **di** Elena.
Affittare una casa è **più** conveniente **che**
comprarne una.

*Se il secondo termine di paragone è un pronome o un
nome si usa **di**; negli altri casi si usa **che**.*

Luigi è **più** magro **di** te/**di** Carlo.
Fa **più** freddo dentro **che** fuori.

Incontri

1 Incontri

Collega i titoli e i disegni.

☐ Sempre più numerose le agenzie matrimoniali, luogo ideale per trovare l'anima gemella

☐ *Si incontrano ballando e dopo 50 anni ballano ancora*

☐ **Principe azzurro cercasi via web**

☐ **Colpo di fulmine in treno**

☐ **Lo sport aiuta i timidi**

Vi vengono in mente altri modi per conoscere gente nuova? Parlatene in coppia.

30

2 Mi è successa una cosa incredibile!

■ Stefano, finalmente ... stavo per andarmene!

▼ Sì, mi dispiace, scusami, volevo chiamarti, ma ho dimenticato il cellulare a casa.

■ Va be'! Però, guarda che è l'ultima volta che ti aspetto.

▼ Sì, hai ragione, scusami, questa volta però mi è successa veramente una cosa incredibile.

■ Cosa ti è successo? Sentiamo!

▼ Ti ricordi la ragazza che ho incontrato durante il viaggio a Praga?

■ Sì, cioè, più che altro mi ricordo che non vi siete scambiati neanche una parola!

▼ Beh, comunque, non ci crederai, stamattina l'ho incontrata!

■ L'hai incontrata? E dove?

▼ In una libreria.

■ E che è successo, racconta! Ti ha riconosciuto?

▼ Sì, ma non subito, anche perché quando è entrata stavo sfogliando un libro.

■ E beh, allora?

▼ E allora niente, mentre leggevo, è entrata e ha chiesto alla commessa lo stesso libro.

■ Quello che stavi leggendo tu?

▼ Esatto.

■ Ma non mi dire!

▼ Sì, ti giuro! E niente, così ho alzato gli occhi e l'ho guardata.
All'inizio non l'ho riconosciuta, poi però ho visto che anche lei mi guardava, così ...

■ Così finalmente vi siete parlati ... spero!

▼ Beh, non subito, però poi alla fine sì.

> **10**

Mentre leggevo è entrata.
L'ho conosciuta **durante** il viaggio.

■ Finalmente sei arrivato!
All'inizio non l'ho riconosciuta.
Alla fine ci siamo parlati.

Completa.

1. Quando Stefano è arrivato Gianni _____ andarsene.

2. Quando la ragazza è entrata in libreria Stefano _____
   un libro.

3. Mentre Stefano _____ , la ragazza ha chiesto alla commessa
   lo stesso libro.

Quale di queste tre frasi esprime un'azione che non è ancora cominciata?

E quale, invece, un'azione che era ancora in corso quando ne è iniziata un'altra?

E 1·2·3

3 Povera Olga!

Olga ha avuto una giornata nera. In coppia guardate i disegni e raccontate che cosa le è successo. Usate un po' di fantasia.

a.

b.

c.

E 4·5

d.

e.

f.

4 Raccontare

Cerca nel dialogo le espressioni usate per ...

iniziare un racconto	invitare a raccontare/mostrare curiosità verso chi racconta

Inserisci le seguenti espressioni nello schema precedente.

Sul serio?   Beh, allora, la cosa è andata così ...

    E poi?

          No, dimmi!

Lo sai che mi è successo l'altro giorno?

La sai l'ultima?   Incredibile!

E 6

Guarda, non ti immagini cosa mi è successo!

5 Incontri curiosi

Avete mai conosciuto qualcuno in modo inusuale, o conoscete qualcuno a cui è successo? Parlatene in piccoli gruppi. Per raccontare o prestare attenzione al racconto degli altri cercate di usare le forme viste sopra.

6 Un panino, una coca e ...

Il seguente testo è tratto dal romanzo *Amore mio infinito* dello scrittore Aldo Nove, uno degli scrittori simbolo della nuova scena letteraria italiana. Aldo Nove usa un linguaggio particolare, privo quasi di punteggiatura.

Così stavo andando in metropolitana mi è venuta fame sono andato da McDonald's a mangiare un McBacon sono sceso in piazza Cordusio (...). Tutti i McDonald's del mondo sono uguali ma quello di Piazza Cordusio è l'unico in cui che io sappia sedendoti se guardi fuori c'è McDonald's. Ero in coda e leggevo, pensavo è proprio strano questo. (...) Quando sono arrivato alla cassa, c'era una ragazza. Non riuscivo più a capire che panino volevo ero in Piazza Cordusio in uno dei due McDonald's nevicava la sera del giorno della mia laurea con l'intenzione di mangiare un McBacon è arrivato il mio turno alla cassa numero 3.(...) Lei mi ha guardato mi ha detto ciao io le ho detto un Kingbacon una Coca lei ha sorriso mi ha corretto ha detto McBacon io non riuscivo a staccare gli occhi dai suoi. (...)

E mi sono fatto coraggio ho continuato le ho detto che volevo anche le patatine fritte piccole tanto per guadagnare qualche secondo rimanere lì lei diventando più professionale, mi ha detto che allora in effetti mi conveniva prendere il menu perché così potevo risparmiare quasi duemila lire McBacon patatine bibita e mi piaceva molto come diceva duemila lire e anche come diceva menu patatine bibita le ho detto sì va bene il menu da ottomilanovecento.

(...) la ragazza è ritornata con le patatine la Coca me li ha messi sul vassoio ho letto la targhetta sulla camicia si chiamava Gianna le ho dato i soldi mi ha chiesto se volevo la salsa mi ha dato il resto lo scontrino le ho detto di sì anche se non avevo mai preso né la ketchup né la maionese specialmente da McDonald's dove al posto della maionese ti danno la salsa per le patate che è una maionese grassa modificata con dei pezzettini verdi, una specie di verdure.

Così, abbiamo iniziato a parlare. Io avevo il vassoio in mano. Lei stava chiudendo il coperchio della Coca.

Le ho detto che la maionese di Burghy era molto più buona che aveva gli occhi rotondi lei ancora ha sorriso ha detto che tra cinque minuti avrebbe finito di lavorare, se volevo potevo aspettarla mi sembrava tutto strano, la mia vita ho sorriso, le avrei voluto dire che l'aspettavo da tutta la vita.

(da *Amore mio infinito*, di A. Nove)

Rileggi il testo e completa con la punteggiatura. Poi confrontati con un compagno.

Metti i seguenti momenti del racconto in ordine cronologico.

La ragazza della cassa gli propone di incontrarsi dopo il suo turno di lavoro. ☐

Il ragazzo ordina le patatine fritte. ☐

La ragazza della cassa gli sorride. ☐

Il ragazzo legge mentre fa la fila. ☐

La ragazza torna con le patatine e gli chiede se vuole la maionese. ☐

Il ragazzo sta andando in metropolitana. ☐

E 7·8   Il ragazzo scopre che la ragazza si chiama Gianna ☐

7 Happy end?

In coppia immaginate come continua la storia tra Matteo (così si chiama il protagonista del racconto) e Gianna. Le diverse versioni verranno poi presentate in plenum.

8 La tua storia

Immagina di aver conosciuto qualcuno. Scrivi una lettera a un amico in cui racconti come e dove è avvenuto l'incontro.

9 Lasciamo stare, che è meglio!

CD 31   *Ascolta il dialogo e rispondi alle domande.*

Di che cosa si lamenta Veronica?

Come si è comportato l'uomo?

Allora, Veronica, com'è andato l'incontro? Racconta!

Lasciamo stare va, che è meglio! È stato un disastro!

Perché? Che è successo?

Dunque, l'appuntamento era alle sette. Io ho pensato che forse voleva prendere un aperitivo, o fare una passeggiata, e invece niente, è voluto andare subito a mangiare.

Va be', forse aveva fame!

Sì, forse. Comunque sia mi ha portato in una pizzeria ...

E tu immaginavi il localino a lume di candela ...

No, però neanche una pizzeria! Comunque, appena siamo arrivati si è messo a telefonare.

Lì? In pizzeria?

Sì. E così ha parlato al telefono per mezz'ora e io lì ad aspettare ... e tu sai che io non sopporto né aspettare né che si telefoni a tavola.

Eh, sì, anche a me dà fastidio.

Beh, per farla breve. Ha parlato tutto il tempo di lavoro, ha mangiato e bevuto per tre e alla fine non mi ha neanche invitato.

No! Hai dovuto pagare tu?

Sì.

> **È voluto andare** subito a mangiare.
> **Ho dovuto pagare** io.

Ho dovuto ...

Forma delle frasi secondo il modello.

> Paola stava male e così ho dovuto portarla all'ospedale.

a. Paola stava male e così   dovere metterli noi a letto.

b. Carla ha tanti vestiti e così   dovere pagare io al ristorante.

c. Stefano era ubriaco e quindi   dovere comprarsi un altro armadio.

d. Leo non aveva il portafoglio e quindi   dovere guidare io.

e. Ho avuto tantissimo da fare e quindi   dovere portarla all'ospedale.

f. I bambini erano stanchissimi e così   non potere andare alla festa.

E 9-10

11 Non sopporto ...

Scrivi cinque cose che non sopporti o ti danno fastidio.
Poi cerca qualcuno a cui danno fastidio le stesse cose.

Non sopporto che/quando ...
Mi dà fastidio che/quando ...

| Non sopporto | che si **fumi** in pubblico. |
| Mi dà fastidio | quando si **fuma** in pubblico. |

E 11

 12 Vivere insieme

Vivere con qualcuno sicuramente non è sempre facile. In coppia fate una lista
dei vantaggi e degli svantaggi del vivere insieme. Confrontate poi in plenum.

 13 Non sopporto quando ...!

CD 32 *Ascolta un paio di volte le interviste e completa la tabella.*

10

	Con chi vive?	Da quanto tempo?	Cosa non sopporta?	Cosa non sopportano gli altri di lui/lei?
Nadia				
Luciano				
Sandra				

 14 Un sondaggio

Lavorate in piccoli gruppi. Fate un sondaggio all'interno
del vostro gruppo e poi riferite i risultati in plenum.

Chiedete ai compagni ...

con chi vivono.
quali sono le cose che apprezzano e quelle che gli danno fastidio dell'altro.
quali sono le cose che l'altro apprezza di loro e quelle che gli danno fastidio.

E 12

E INOLTRE...

1 Eri piccola così

Metti in ordine i disegni e prova a immaginare come potrebbe essere la storia.
Discuti poi in plenum perché hai scelto questa successione.

Ora ascolta un paio di volte la canzone e confronta la tua versione della storia con quella vera.

T'ho veduta. T'ho seguita. T'ho fermata. T'ho baciata.

Eri piccola, piccola, piccola. Così.

M'hai guardato. Hai taciuto. Ho pensato "Beh, son piaciuto".

Eri piccola, piccola, piccola. Così.

Poi, è nato il nostro folle amore che ripenso ancora con terrore.

M'hai stregato. T'ho creduta. L'hai voluto, t'ho sposata.

Eri piccola, piccola, piccola. Sì, così.

T'ho viziata. Coccolata: latte, burro, marmellata.

Eri piccola, piccola, piccola. Così.

Che cretino sono stato, anche il gatto m'hai venduto.

Ma eri piccola. Eh, già. Piccola, piccola. Così.

Tu fumavi mille sigarette, io facevo il grano col tresette.

Poi un giorno m'hai piantato per un tipo svaporato.

T'ho cercato. T'ho scovato.

L'ho guardato. S'è squagliato.

Quattro schiaffi t'ho servito.

Tu m' hai detto "disgraziato". La pistola m'hai puntato. Eh...

Ed un colpo m'hai sparato. Ah, sì. Eh.

Spara! Spara! E spara!

E pensare che eri piccola, ma piccola, tanto piccola. Così.

A quali espressioni della canzone corrispondono le seguenti frasi?

Non hai detto niente. _____

Guadagnavo i soldi giocando a carte. _____

M'hai lasciato. _____

Per un uomo poco interessante. _____

T'ho trovato. _____

Se ne è andato immediatamente. _____

Per comunicare

Finalmente sei arrivato!
Stavo quasi per andarmene.

Mi è successa una cosa incredibile!
Non ti immagini cosa mi è successo!
Lo sai che mi è successo l'altro giorno?
La sai l'ultima?
Per farla breve ...

Cosa ti è successo? Sentiamo!
Che è successo, racconta!
Ma non mi dire!
Sul serio? E poi?

Grammatica

Stare per + infinito

Scusami, ma **sto per uscire**, puoi venire dopo?
Quando è arrivato Luca **stavo per uscire**.

*Con **stare per** + infinito e **stavo per** + infinito si esprime il momento prima dell'inizio di un'azione, rispettivamente nel presente e nel passato.*

Quando ha chiamato Marta **stavo per andare**
a dormire.
Quando ha chiamato Marta **stavo dormendo**.

*Attenzione alla differenza fra **stare per** + infinito e **stare** + gerundio.*
Nella prima frase la persona non è ancora andata a letto, ma si prepara ad andarci. Nella seconda frase è già a letto.

Mentre e durante

*Mentre e **durante** hanno lo stesso significato. **Mentre** si usa in combinazione con un verbo, **durante** in combinazione con un nome.*

Li ho visti **mentre** aspettavo l'autobus.
L'ho incontrato **durante** il viaggio.

Il passato prossimo dei verbi modali

Ho dovuto accompagnare Pietro in ufficio.
Sono dovuta andare a lavorare anche di sabato!
Ha voluto mangiare solo un'insalata.
È voluto andare in pizzeria.

*Se il verbo modale (**dovere**, **potere**, **volere**) è seguito da un verbo che forma il passato prossimo con l'ausiliare **avere**, allora anche il passato prossimo del verbo modale si forma con **avere**. Se il verbo che segue forma il passato prossimo con **essere**, allora anche il passato prossimo del verbo modale si forma con **essere**.*

Non sopporto / Mi dà fastidio ...

Non sopporto **che** si **guardi** la TV a tavola.
Mi dà fastidio **che** si **parli** durante lo spettacolo.

Non sopporto che
Mi dà fastidio che   + congiuntivo

Non sopporto **quando** si **guarda** la TV a tavola.
Mi dà fastidio **quando** si **fuma** al ristorante.

Non sopporto quando
Mi dà fastidio quando   + indicativo

10

Facciamo il punto

Si gioca in gruppi di 3 – 5 persone con 1 dado e pedine. A turno si lancia il dado. Ogni giocatore lancia il dado e avanza di tante caselle quanti sono i punti indicati sul dado, la prima volta in senso orizzontale, la seconda volta in verticale. Ogni casella

Quali mobili ci vogliono per il soggiorno?

Quando finirà questo corso...

È meglio comprare un appartamento o vivere in affitto?

Che requisiti deve avere una segretaria ideale?

Vivere in centro. Quali sono i vantaggi e gli svantaggi?

Medicina tradizionale o alternativa? Pro e contro.

Il partner ideale. Come dovrebbe essere?

Vivere fuori città. Quali sono i vantaggi e gli svantaggi?

La scuola fra 10 anni. Che cosa cambierà?

Il telefonino, il computer e la macchina. Sono indispensabili?

Vivere all'estero. Vantaggi e svantaggi.

La prossima volta che andrò in vacanza...

Quando ho il raffreddore...

L'insegnante ideale. Come deve essere?

L'anno prossimo...

contiene un compito da risolvere. Se una casella contiene un disegno, si devono fare supposizioni su cosa può essere successo prima o può succedere dopo la situazione rappresentata. Se gli altri giocatori ritengono che la frase sia corretta, il giocatore di turno riceve un punto. Se un partecipante ritiene invece che il giocatore abbia fatto un errore, deve indicarlo e correggere la frase; in tal caso riceve un punto.

Dopo un certo periodo di tempo l'insegnante interrompe il gioco. Vince chi ha più punti.

Appendice

7 In fila

Si lavora a coppie, una persona osserva il seguente disegno e l'altra quello a p. 48.
Descrivete ciò che le persone stanno facendo e cercate le nove differenze tra i due disegni.

2 In un'agenzia di viaggi

	Orari	Prezzi		
Milano – Elba	9.30 – 10.30 12.15 – 13.15	190,00 euro		(aereo)
Milano – Livorno (cambio a Genova)	12.15 – 16.49 13.10 – 17.49	33,07 euro		(treno)
Piombino – Elba	11.30 – 12.30 16.30 – 17.30	5,00 euro 19,00 euro	passeggero posto auto	(traghetto)
Milano – Cagliari	10.15 – 11.40 15.15 – 16.40	263,00 euro		(aereo)
Milano – Genova	11.10 – 12.43 13.10 – 14.43	12,86 euro		(treno)
Genova – Cagliari	17.00 – 13.00 21.00 – 17.00	45,19 euro 68,17 euro	posto ponte cabina	(traghetto)
Milano – Napoli	8.55 – 10.20 10.20 – 11.45	191,00 euro		(aereo)
Napoli – Capri	10.00 – 10.40 17.00 – 17.50	8,40 euro 5,00 euro		(aliscafo) (traghetto)
Milano – Napoli	10.00 – 16.30 11.20 – 19.39	48,50 euro		(treno)

Il villaggio mi piace

Leggi la seguente lettera.

Fino a due anni fa appartenevo anch'io alla schiera di chi inorridiva al pensiero di trascorrere una vacanza in un villaggio, finché dopo la separazione da mio marito, mi sono trovata a dover organizzare una vacanza per me e mia figlia di otto anni. Volevo qualcosa di divertente, soprattutto per lei, e nello stesso tempo rilassarmi senza pensare a una serie di aspetti organizzativi che mi avrebbero pesato. Vista la mia situazione, il villaggio mi è sembrato la soluzione ideale: il posto era bello, la bambina era impegnata in mille attività in compagnia di tanti amichetti. Insomma, era proprio quello che ci voleva. Siamo state così bene che abbiamo fatto il bis l'anno dopo.

Paola, Bari

Rispondi alle domande.

qualcosa di interessante

Perché Paola ha cambiato idea sui villaggi turistici?

Con chi è andata in vacanza?

Quali sono, secondo lei, i vantaggi di una vacanza in un villaggio?

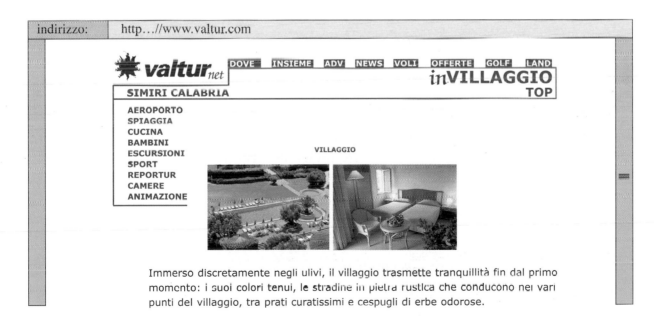

Immerso discretamente negli ulivi, il villaggio trasmette tranquillità fin dal primo momento: i suoi colori tenui, le stradine in pietra rustica che conducono nei vari punti del villaggio, tra prati curatissimi e cespugli di erbe odorose.

Villaggio turistico pro & contro

Che cosa pensate dei villaggi turistici? Ci siete mai stati? Quali sono, secondo voi, i vantaggi e gli svantaggi di un villaggio turistico? Parlatene in piccoli gruppi.

Così abita l'Italia

MILANO – Come sono le case vere degli italiani? Non quelle degli architetti, della pubblicità patinata, dei telefilm. Non quelle dei cataloghi di arredamento, dei saloni del mobile, delle riviste specializzate. Parliamo del teatrino domestico di tutti i giorni, stanze spesso stracolme di oggetti disordinati, dentro alle quali viviamo, mangiamo, dormiamo, ci laviamo, lavoriamo. Per scoprirlo due ricercatrici milanesi, Lucia Bocchi e Patrizia Scarzella, hanno condotto una ricerca curiosa (...). Centoquarantasette intervistatori, con centinaia di macchine fotografiche usa e getta, sono stati mandati in giro, nelle case, a immortalare soggiorni, cucine, bagni, camere da letto. Così come sono davvero. (...)

Le migliaia di scatti selezionati possono essere raggruppati, secondo i ricercatori, in cinque tipologie dominanti. La prima è quella dei trentenni sposati. Appartamenti meno ricchi, dove centrale è la cucina. "Il primo spazio nel quale si concentra abitualmente la vita della nuova coppia". Nelle abitazioni dei quarantenni-cinquantenni prevale, invece, l'importanza del soggiorno, come luogo di rappresentanza. Di tutti gli ambienti della casa quest'ultimo risulta essere quello maggiormente privo di identità e di calore. Divani disposti per ricevere, ma spesso non vissuti, coperti di cellofan perché non si sporchino. E una grande ossessione per il coordinato nelle stoffe, con molte concessioni al kitsch.

Più interessanti le case dei sessanta-settantenni. "In queste abitazioni – racconta divertita Lucia Bocchi – abbiamo scoperto un sacco di pezzi d'arredamento notevoli, a totale insaputa dei proprietari. (...)". Una tipologia a parte, comune a tutte le classi sociali, è la camera dei ragazzi. Ambienti carichi di oggetti spesso inutili, della società dei consumi. Poster alle pareti. Fotografie appese dappertutto, computer e immancabile televisore.

Nelle case dei single, invece, trionfa l'arredo libero. Di tutto un po'. Mentre diventa centrale la camera da letto come luogo in cui soggiornare, telefonare, ascoltare musica.

(da *la Repubblica*, 7/10/2000)

Nell'articolo si dice che:

	sì	no
a. Le case degli italiani sono come quelle che si vedono nei telefilm.	☐	☐
b. Gli intervistatori hanno fotografato gli appartamenti delle persone intervistate.	☐	☐
c. Gli appartamenti degli italiani sono, in genere, molto moderni.	☐	☐
d. Lo stile degli appartamenti varia a seconda dell'età degli intervistati.	☐	☐
e. In quasi tutte le camere dei ragazzi c'è un televisore.	☐	☐

Nell'articolo si nominano cinque categorie di persone. Quali?
Scrivi le caratteristiche delle corrispondenti abitazioni.

In coppia fate una discussione sulla base delle seguenti domande.

Nel testo c'è qualcosa che vi ha colpito? Che non immaginavate o non sapevate?
A quale tipo di casa italiana rassomiglia di più la vostra?

Vita da single? Il Web ti aiuta

ROMA - Le persone single sono molte, moltissime. Chi per scelta di vita, chi per cause esterne, qualcuno per sempre, altri per un periodo soltanto. Le esigenze di una persona che vive da sola sono, in parte, diverse da quelle di una famiglia: se ne sono accorti prima la pubblicità e poi i servizi che corteggiano i single con prodotti sempre più mirati: dalle confezioni monoporzione dei supermercati ai locali a loro dedicati, dai viaggi ai consigli per amministrare al meglio la casa. (...)

Le comunità virtuali di single su Internet si moltiplicano e vanno continuamente aumentando i propri iscritti, segno che il loro senso di appartenenza è molto forte. Generalmente nelle pagine di queste associazioni si trovano indicazioni, consigli, forum di discussione e storie personali. (...)

Tra le tante difficoltà di una vita in solitario, il tempo che manca sempre e la necessità di sapere fare tutto quello che serve sia dentro che fuori casa, rappresentano ostacoli che con una buona web-organizzazione possono essere resi più semplici da superare. I corsi gratuiti di Learn2.com insegnano per esempio a stirare (...). Con lo stesso metodo vengono pure illustrate diverse altre occupazioni domestiche: come togliere una macchia dai pantaloni, come fare funzionare una lavatrice, come fare il letto e tante ancora, di sezione in sezione, fino a quella dedicata al "food and drink" con i consigli di cucina.

Oltre che per sbrigare gli impicci della vita di tutti i giorni, i solitari trovano in Rete tanti canali di chat, agenzie e tour operator che organizzano viaggi per single, associazioni per chi desidera conoscere l'anima gemella o soltanto trovare un po' di compagnia (un esempio? Incontriamoci), tutto ciò che in sostanza può servire per non sentirsi mai veramente soli ma orgogliosamente single.

(da *la Repubblica*, 23/6/2000)

Nell'articolo si dice che:

	sì	no
a. Le persone che vivono da sole hanno gli stessi problemi di quelle che vivono in famiglia.	☐	☐
b. Sul mercato esistono dei prodotti speciali per i single.	☐	☐
c. Internet può essere d'aiuto alle persone sole.	☐	☐
d. Uno dei problemi dei single è la mancanza di tempo.	☐	☐
e. I corsi di Learn.com sono a pagamento.	☐	☐
f. In rete i single possono organizzare anche le vacanze.	☐	☐
g. Su Internet è possibile cercare l'anima gemella.	☐	☐

Per ricordare meglio le parole nuove, scrivile e contemporaneamente leggile ad alta voce.

1 La mia famiglia

Federico ci presenta la sua famiglia. Guarda il disegno e completa con i nomi della famiglia.

2 Vivi da solo?

Metti in ordine il dialogo.

① Vivi da solo?

○ Più grandi o più piccoli di te?

○ Sì, e tu?

○ Ah. E vivono da soli o con i tuoi?

○ E hai fratelli?

○ Io ho un fratello e una sorella.

○ Mia sorella è più grande e mio fratello più piccolo.

○ Anch'io. I miei vivono a Lucca.

○ No, sono figlia unica. E tu?

○ Mio fratello vive da solo, mia sorella, invece, vive ancora con i miei.

Infobox

La famiglia. La famiglia italiana moderna è composta da genitori e uno o due figli, raramente, almeno nell'Italia settentrionale, da più di due figli. Il legame familiare è ancora oggi molto forte. Tutta la famiglia si riunisce ogni giorno, almeno a cena, intorno allo stesso tavolo. I nonni, specialmente se sono vedovi, vivono in casa con uno dei figli e partecipano attivamente alla vita familiare. I giovani, inoltre, vivono spesso fino ai trent'anni con i propri genitori e lasciano la casa paterna solo quando si sposano.

Conosci l'Italia?

Completa le frasi con il superlativo relativo.
Se le risposte sono esatte, ottieni una frase.

1. Qual è _____ (fiume /lungo) d'Italia?
   a. Tevere (com)   b. Po (bra)   c. Adige (pre)

2. Qual è _____ (università/antica) d'Italia?
   a. Urbino (tri/sen)   b. Venezia (don/car)   c. Bologna (vo/con)

3. Qual è _____ (città/grande) d'Italia?
   a. Milano (osci/ma)   b. Napoli (osci/den)   c. Roma (osci/be)

4. Qual è _____ (monte /alto) d'Italia?
   a. Cervino (le/ra/to)   b. Monte Bianco (ne/la/geo)   c. Monte Rosa (ne/lo/gra)

5. Qual è _____ (regione /piccola) d'Italia?
   a. Val D'Aosta (grafia)   b. Molise (metria)   c. Basilicata (logia)

_____ , _____ _____ _____ _____ !

⇨ Consiglio

Quando nel libro incontri una località nuova (un monte, un fiume ecc.),
vai a controllarla sull'atlante. In questo modo, poco a poco, conoscerai
l'Italia.

 Parole incrociate

Fai il cruciverba. Alla fine potrai leggere la parola che in italiano si usa per dire
"marito della figlia".

1. Il fratello del marito
2. Il figlio della sorella
3. La figlia della zia
4. Il padre del marito
5. La mamma della moglie
6. Il fratello della madre

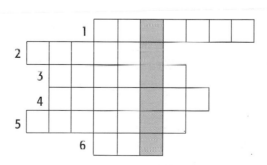

5 Mio, tuo ...

Completa le frasi con le lettere finali dei possessivi e con gli articoli determinativi.

1. ____ nostr__ amici sono partiti per il mare.

2. Tu__ sorella vive ancora a Londra?

3. Se vuoi ti regalo ___ mi__ bicicletta perché io non la uso più.

4. ___ tuo__ occhiali sono sul tavolo, li vedi?

5. Quando arrivano ___ vostr__ genitori?

6. No, Gianni non è su__ marito, è ___ su__ compagno!

7. Venite, vi faccio vedere* ___ vostr__ camera.

8. ___ mie__ zii si sono trasferiti in Toscana.

9. Ecco, questo è ___ vostr__ tavolo.

10. Scusa, questi guanti sono ___ tuo__ o ___ mie__?

* vi faccio vedere = vi mostro

6 Matteo racconta

Completa il testo con gli aggettivi possessivi e quando è necessario con gli articoli determinativi.

_____ madre ha 43 anni e lavora nella libreria di _____ sorella, (_____ zia). _____ padre, invece, è impiegato presso una ditta di computer. Sono figlio unico, però questo per me non è mai stato un problema, forse perché ho sempre potuto giocare con _____ cugini. _____ madre e _____ sorelle sono sempre state molto legate, così io e _____ cugini siamo cresciuti insieme.

Il matrimonio: usi e costumi. Il matrimonio è ancora oggi una festa speciale, ricco di tradizioni antiche e più recenti abitudini. Secondo la tradizione l'abito da sposa deve essere lungo e bianco, ma oggi si accettano anche abiti corti e tinte pastello. Il velo è d'obbligo. Una volta erano la mamma o la nonna a scegliere il corredo e addirittura a realizzarne una parte personalmente. Oggi è la sposa stessa, negli ultimi mesi prima del matrimonio, a scegliere i capi (lenzuola, coperte, tovaglie) in modo da adattarli meglio alla nuova casa. Un'altra tradizione molto diffusa è quella di donare a tutti gli invitati, in ricordo del «grande giorno», la cosiddetta bomboniera, a cui viene legato un sacchettino contenente tre o cinque confetti (piccoli dolci ovali di zucchero cotto), rigorosamente bianchi e alla mandorla.

7 Di chi si parla?

Rileggi il testo a pag. 12 e collega ad ogni persona due delle seguenti frasi.

		porta la barba. (a)
		si è laureato da poco. (b)
1.	Andrea	ha sposato la sorella di Dario. (c)
2.	Franco	ha due figli. (d)
3.	Dario	qualche volta va in palestra. (e)
		non ha finito gli studi. (f)
4.	Mara	ha sposato Andrea. (g)
5.	Gianni	è andato a vivere in un'altra città. (h)
		non ha notizie dell'amico da molto tempo. (i)
		è una persona in gamba. (l)

8 Completa le frasi con gli aggettivi possessivi e quando è necessario con gli articoli determinativi.

1. _____ genitori vivono in un'altra città, io vivo da sola.

2. Scusa, Maria, sono queste _____ chiavi?

3. Il figlio di Clara abita a Milano, _____ figlia invece vive in Germania.

4. Luisa e Dario abitano qui. Questa è _____ macchina!

5. Signorina, potrebbe darmi _____ nuovo numero di telefono?

6. Ragazzi, dov'è _____ insegnante?

7. Guarda, mamma, in garage abbiamo trovato _____ libri di scuola!

8. Ecco _____ bicicletta nuova, ti piace? È un regalo dei _____ nonni.

9. Per favore, mi dai un attimo _____ cellulare?

10. Pietro, scusa, ma non metti mai in ordine? _____ camera è un vero caos!

9 Forma delle frasi.

Luca e Daniele	ci siamo incontrati	in matematica due settimane fa.
Mia sorella	vi siete alzati	per caso* in treno!
Roberto	si sono trasferiti	perché la sorella gli ha preso la macchina.
Voi	si è sposata	presto questa mattina.
Io e Claudio	mi sono laureata	con un mio compagno di classe.
Io	si è arrabbiato	in città.

* per caso = in modo imprevisto, inaspettato

10 Completa le frasi con i verbi al passato prossimo.

sposarsi prendere cambiare

alzarsi dedicarsi arrabbiarsi

andare

divertirsi

riposarsi perdere

1. Marco e Giovanna _____ tantissimo alla festa di Andrea.

2. È stata veramente una splendida vacanza: ho letto, ho fatto il bagno, ho preso il sole, insomma, _____ !

3. Stamattina Patrizia _____ la macchina perché _____ tardi e _____ il treno.

4. Mio nonno _____ per molti anni al giardinaggio.

5. Tu e Giacomo _____ in chiesa?

6. Ho sentito che Rosa e Alfredo _____ a teatro insieme sabato sera.

7. Senta, Le do il mio nuovo indirizzo perché _____ casa.

8. Scusa, e tu _____ con Sandra solo perché ti ha chiamato così tardi?

Esercizi

1

11 Completa le frasi con le seguenti parole.

comunque   invece

siccome   forse   tra l'altro   allora

1. _____ , vi siete decisi? Venite domenica, o no?

2. Mio fratello abita ancora con i miei, mia sorella, _____, vive con il suo ragazzo.

3. Io non sono molto bravo con i computer, _____ se vuoi ti aiuto!

4. _____ stasera viene anche Catia, va bene per te?

5. Certo che ho comprato il giornale, però _____ ho avuto molto da fare, non l'ho ancora letto!

6. Sì, sì, hai capito bene, Barbara ha quattro figli. _____ il più piccolo va a scuola con il mio!

↬ Consiglio

Usa i momenti d'attesa o i viaggi per ripetere espressioni, per immaginare delle piccole conversazioni o per scrivere le tue esperienze.

12 Ricapitoliamo

Scrivi tutte le parole della famiglia che ti riguardano. Oppure descrivi la tua famiglia e parla dei tuoi parenti.

Infobox

Regali di nozze. Anche in Italia si è ormai diffusa l'abitudine di preparare una lista di nozze in negozi scelti dagli sposi. Così si evita di ricevere regali doppi o sgraditi. In alcune regioni si usa ancora esporre, in casa della sposa, i regali accompagnati dal biglietto del donatore, in modo da mostrarne la «generosità».
Oggi è anche possibile aprire una lista di nozze in un'agenzia di viaggi, così gli sposi possono farsi regalare, da parenti e amici, una luna di miele indimenticabile.

⇢ Consiglio

Prima di andare a dormire scrivi cinque parole italiane che ti interessano.
La mattina dopo, prima di alzarti, cerca di ricordarti le parole scritte la
sera prima.

1 Animali

Fai il cruciverba. Alla fine potrai leggere il nome di un animale che già conosci.

2 Completa la tabella con le forme mancanti dell'imperfetto.

	io	tu	lui, lei, Lei	noi	voi	loro
giocare		giocavi				
studiare				studiavamo		
svegliarsi					vi svegliavate	
vedere	vedevo					
capire						capivano
partire			partiva			
essere				eravamo		

Esercizi

2

3 Da piccola ...

Completa il testo con i verbi all'imperfetto.

Da piccola (trascorrere) _____ molto tempo a casa dei miei nonni.

Mi (piacere) _____ tanto stare da loro, forse perché (abitare) _____

in una grande casa in campagna. Quasi ogni fine settimana (dormire) _____ da loro.

La domenica mattina mia nonna (alzarsi) _____ presto e (andare) _____

in chiesa, poi (tornare)_____ a casa e (cominciare) _____ a preparare il

pranzo. Allora io (alzarmi) _____ e (andare) _____ in cucina a fare colazione.

(amare) _____ stare lì e guardare come mia nonna (preparare) _____ la pasta

fatta in casa.

4 Completa le frasi con i verbi all'imperfetto.

1. Teresa, tu dove _____ in vacanza da bambina?   andare

2. Come _____ il cane che _____ da piccola?   chiamarsi/avere

3. Serena, ti ricordi quando _____ piccole?   (noi) essere/giocare

   _____ sempre con le figlie della signora Valeri.

4. Dove _____ i tuoi nonni?   abitare

5. Senti, di solito chi ti _____ a scuola da piccolo?   accompagnare

6. Sai, da piccola i dolci non mi _____, e adesso   piacere

   invece ...!

7. A casa nostra _____ pochissimo spazio, quindi non   esserci

   abbiamo mai avuto animali!

8. Voi _____ in campagna, vero?   vivere

9. Da bambino _____ moltissimi libri e _____   leggere/guardare

   poco la TV.

> **Infobox**
>
> **Animali d'appartamento.** In città sono sempre più gli italiani che decidono di avere in casa un animale domestico. Purtroppo non sempre si preferiscono animali abbandonati, infatti si tende ancora a comprarli in un negozio, indirizzando la scelta sempre più spesso verso animali «esotici».

5 Com'era la vita di Alfredo prima?

Con le parole qui sotto forma delle frasi all'imperfetto, come nell'esempio.

in campeggio

a casa   in treno

lettere

musica rock

la bicicletta   al mercato delle pulci*

con altre tre persone

Oggi vivo da solo in una casa grandissima.

Oggi scrivo solo e-mail.

Adesso mangio spesso al ristorante.

Oggi vado solo in albergo.

Adesso prendo sempre la macchina.

Oggi compro tutto in una boutique.

Adesso ascolto solo musica jazz.

Ora viaggio solo in aereo.

Prima vivevo con altre tre persone.

Prima _____

_____

_____

_____

_____

_____

_____

* mercato delle pulci = mercato dove si
comprano le cose usate, di seconda mano

6 Scrivi delle frasi come nell'esempio.

normalmente/noi andare in vacanza in montagna
Normalmente andavamo in vacanza in montagna.

1. ogni sera/mia madre leggerci qualcosa
2. di solito la domenica pomeriggio/mio padre portarci al cinema
3. d'estate/i nostri genitori portarci in campagna
4. qualche volta/andare a trovare i nonni in montagna
5. quando ero piccolo/avere un cavallo
6. da bambino/andare a scuola in bicicletta anche d'inverno
7. da piccolo/non piacermi la verdura
8. spesso/io e mia sorella giocare insieme ai nostri cugini

> **Infobox**
>
> **Gli squali** – Lo sapevate? In
> Italia ci sono anche gli squali.
> Nel settembre del 2001 alcuni
> di essi sono apparsi al largo
> delle coste della Sardegna.
> Si tratta però di animali non
> pericolosi per l'uomo. Ed
> infatti un giornale intitolava
> «Squali italiani? Meno
> pericolosi dei gatti.»

Esercizi

2

7 Abitudini

Scegli l'espressione giusta.

1. *Prima/Quando* prendevo sempre il treno.

2. *Come ero piccolo/Da piccolo* non andavo volentieri a scuola.

3. A pranzo *già/di solito* mangiavo dai miei amici perché mia madre lavorava.

4. *Ogni anno/Tutto l'anno* trascorrevamo una settimana al mare.

5. *Normalmente/Normale* andavo in vacanza con i miei.

> ⇛ Consiglio
>
> *Scrivi delle frasi con i nuovi verbi usando anche l'imperfetto.*
> *Utilizza anche le espressioni temporali che si usano con questo*
> *tempo (es. prima, sempre, da bambino ecc.). Così impari non*
> *solo i nuovi vocaboli ma anche la grammatica.*

 8 Solo una volta

Collega le frasi di sinistra con quelle di destra e metti i verbi al tempo giusto.

1. Carla andava sempre in vacanza con i genitori.

2. D'estate di solito prendevamo in affitto un appartamento.

3. Il Natale lo passavamo a casa dei nonni.

4. Mio padre era sempre molto puntuale**.

5. Ero molto brava a scuola.

a. Solo una volta (prendere) _____ un brutto voto*.

b. Solo una volta (arrivare) _____ tardi.

c. Una volta (partire) _____ con un gruppo di ragazzi.

d. Una volta però (venire) _____ loro da noi.

e. Una volta (andare) _____ in campeggio.

* un brutto voto = un cattivo risultato ** puntuale = all'ora esatta

9 Un cambiamento

*Sottolinea nel testo i verbi al passato (imperfetto o passato prossimo)
e inseriscili nella colonna giusta.*

Da piccolo ero un bambino molto chiuso. Odiavo la scuola, non mi piaceva fare
sport e avevo pochissimi amici. Stavo spesso a casa, guardavo la TV o leggevo i
fumetti. Naturalmente spesso mi annoiavo e quindi mangiavo moltissimi dolci.
Qualche volta venivano degli amici dei miei genitori con i loro figli. Allora giocavo
con gli altri bambini, ma non mi divertivo molto. A 16 anni poi ho incontrato una
ragazza, Francesca, e mi sono innamorato per la prima volta. Così ho cominciato
ad andare volentieri a scuola, a uscire con gli altri ragazzi e ad andare alle feste. Ho
cominciato a fare sport e ho imparato anche a giocare a tennis.

Descrizioni, abitudini:	*Azioni successe una volta sola:*

10 Un regalo per Alfredo

Completa il dialogo con i pronomi o con le particelle ci *o* ne.

■ Fra due giorni è il compleanno di Alfredo e non abbiamo ancora pensato al

regalo. _____ puoi pensare tu, per favore?

▼ Perché non andiamo insieme in centro?

■ Senti, io non ho tempo e poi _____ sono già stata stamattina!

▼ Non _____ puoi almeno aiutare a pensare cosa _____ possiamo regalare?

■ _____ ho pensato, ma non è semplice.

▼ Che _____ dici di un CD?

■ Mai sai benissimo che Alfredo la musica _____ ascolta raramente…

▼ E un libro? Come _____ sembra?

■ Beh, è un regalo un po' noioso, ma so che _____ fa sempre piacere.

▼ D'accordo allora. Vado in libreria. A più tardi.

■ Scusa, Davide, prima di uscire _____ aiuti a chiudere la finestra? Io proprio non _____ riesco!

11 Completa le frasi con il tempo giusto (passato prossimo / imperfetto)

1. Da piccolo (io-vivere) _____ in campagna, poi a 15 anni (trasferirsi) _____ in città.

2. Lisa (nascere) _____ a Firenze, ma (vivere) _____ per molti anni a Bologna.

3. Mia nonna (fare) _____ sempre la pasta in casa.

4. No, prima non mi (piacere) _____ ballare, poi un anno fa (fare) _____ un corso di tango e così ora vado quasi tutti i fine settimana a ballare.

5. Normalmente a casa (cucinare) _____ la mamma. Solo una volta (cucinare) _____ mio padre, (fare) _____ la pizza. Purtroppo (essere) _____ così cattiva che alla fine (andare) _____ tutti in pizzeria.

6. Marco (abitare) _____ fino a ventidue anni con i suoi.

7. Carla (andare) _____ via da Napoli quando (avere) _____ due anni, quindi non ricorda quasi niente della città.

8. Prima (io-fare) _____ tantissimo sport, poi con il tempo (diventare) _____ pigro*!

*pigro = poco dinamico, poco attivo

12 Ricapitoliamo

Com'era la tua vita prima? Che abitudini avevi? Ti ricordi di qualche avvenimento particolare?

Infobox

Gli italiani e gli animali. Secondo un recente studio della LAV (Lega Anti-Vivisezione) in Italia i casi di violenza e morte per gli animali sono in diminuzione. Gli italiani usano meno pellicce e mangiano meno carne. Aumenta il consumo di prodotti «cruelty free», ovvero liberi da crudeltà: pellicce non di animale, scarpe non in pelle. In TV aumentano le trasmissioni sugli animali, ma c'è un aumento, sia su canali privati che pubblici, anche dei circhi; in diminuzione invece la partecipazione agli spettacoli dal vivo.

⇴ Consiglio

Se ne hai la possibilità, studia con un compagno o in piccoli gruppi. È divertente vedere come si impara presto a comunicare in italiano con gli altri.

1 Identikit

Osserva l'immagine e segna con una X la risposta giusta.

	sì	no	forse
1. John ha i capelli ricci.	☐	☐	☐
2. Porta i baffi.	☐	☐	☐
3. Ha la barba.	☐	☐	☐
4. Ha gli occhiali.	☐	☐	☐
5. È biondo.	☐	☐	☐
6. Ha gli occhi neri.	☐	☐	☐
7. È molto grasso.	☐	☐	☐

2 Contrari

Completa le frasi con il contrario dell'aggettivo.

1. A me Barbara non sembra affatto timida, anzi, secondo me è una persona _____ .

2. Trovi Franco divertente? A me sembra così _____ !

3. A te Paola è antipatica? Mah, io invece la trovo _____ .

4. Secondo te Marco è grasso? Ma dai! È così _____ !

5. Io Valeria non la trovo affatto carina, anzi per me è _____ .

6. Guarda che Laura non ha i capelli lisci, li ha _____ .

3 Ce la fai?

Completa le frasi con farcela. *Attenzione al tempo adatto (presente o passato prossimo).*

1. Sono stanco, non _____ più a lavorare!

2. Ha chiamato Francesco. Voleva dirti che ieri non _____ a prendere il treno.

3. Ti ringrazio, ma _____ anche da sola.

4. Ragazzi, _____ a portare le valigie da soli?

5. Ingegnere, _____ ad essere qui in ufficio per le sette e mezzo?

6. Siamo usciti presto di casa, ma non _____ ad arrivare in tempo alla stazione.

4 Avere o essere?

*Completa le frasi con l'ausiliare adatto (*avere *o* essere*) e l'ultima lettera del participio.*

1. Il concerto _____ finit__ molto tardi ieri.

2. Tommaso, _____ già cominciat__ il nuovo lavoro?

3. Marina _____ cambiat__ tanto negli ultimi anni.

4. Stefano, _____ già finit__ di fare i compiti?

5. Senti, _____ già cambiat__ il maglione o devo farlo io?

6. Peccato, le vacanze _____ già finit__!

7. Purtroppo il film _____ già cominciat__!

8. Incredibile! _____ cominciat__ a mettere in ordine la cucina ieri e non _____ ancora finit__!

9. Ieri sera _____ finit__ di leggere il primo libro di Harry Potter e stamattina _____ già cominciat__ a leggere il secondo.

Infobox

Il maschio latino. Oggi anche molti uomini italiani si rivolgono alla chirurgia estetica per correggere i segni del tempo o per eliminare un piccolo difetto fisico. Gli interventi più richiesti sono l'autotrapianto dei capelli, la lipoaspirazione ai fianchi e alla pancia, la plastica al naso. È interessante notare che le richieste di chirurgia estetica rispecchiano i classici gusti mediterranei. Insomma l'uomo italiano vuole soddisfare, a tutti i costi, il proprio ideale di maschio latino.

5 Potere o sapere?

Guarda i disegni e completa le frasi con potere *o* sapere.

1. Carletto non _____ ancora leggere.

2. Mi dispiace, ma per un mese non _____ giocare a tennis.

3. Rita _____ parlare anche il giapponese.

4. Guardi che qui non si _____ fumare!

5. Beh, il pianoforte Gianna lo _____ suonare veramente bene!

Consiglio

In Espresso trovi tante letture autentiche sull'Italia o tanti brani tratti da opere di letteratura. Quando leggi è importante riuscire a capire dal contesto il significato di molte parole. Cerca sempre di leggere senza l'aiuto del vocabolario. Spesso non è necessario conoscere il significato preciso di tutte le parole per capire il senso generale del testo. L'uso continuo del vocabolario è stancante, porta via tanto tempo e uccide il piacere di leggere.

6 È vero?

Rileggi il testo a pag. 36 e segna con una X le risposte giuste.

1. La Zezè è
    a. la signora più alta di tutte. ☐
    b. abbastanza alta. ☐

2. È nata
    a. in Africa. ☐
    b. a Torpignattara. ☐

3. Ha la faccia
    a. magra. ☐
    b. abbastanza grassa. ☐

4. Ha
    a. i capelli lunghi. ☐
    b. i capelli neri. ☐

5. Lavorare dall'architetto
    a. le piace. ☐
    b. non le piace. ☐

6. Lavora dalla signora
    a. per più di quattro ore. ☐
    b. per meno di quattro ore. ☐

7. La Zezè
    a. ama i bambini vivaci. ☐
    b. non ama i bambini vivaci. ☐

7 Completa le frasi con il verbo *andarsene*.

1. Luigi di solito _____ alle 8.00.

2. A teatro mi sono annoiata e _____ quasi subito.

3. Carla è ancora in ufficio? – No, _____ appena _____ .

4. Siete rimasti ancora a lungo alla festa? – No, _____
poco dopo di voi.

5. La tua amica _____ o resta a cena con noi?

6. (Voi) _____ già? Non aspettate Franco?

8 Che cosa hanno in comune?

Forma delle frasi come nell'esempio.

Alida è italiana come Massimo.
È meno alta di Massimo.

Alida, 23 anni, italiana
alta 1.63, bionda, occhi azzurri

Massimo, 40 anni, italiano
alto 1.85, biondo, occhi castani

Pedro, 38 anni, spagnolo
alto 1.79, capelli neri, occhi azzurri

María, 23 anni, spagnola
alta 1.67, capelli neri, occhi castani

 9 Ecco alcune forme del condizionale.
Mettile al posto giusto e poi completa la tabella.

dovrebbero

verresti

mangerei

andremmo

potrebbe   dovresti   andrei

vorremmo

vorrebbero

potreste   sarei

sarebbe   cercherebbero

avreste   preferiresti

	io	tu	lui, lei, Lei	noi	voi	loro
andare						
avere						
cercare						
dovere						
essere						
mangiare						
potere						
preferire						
venire						
volere						

10 Forma delle frasi.

Ingegner Vinci,	vorremmo vedere	al cinema.
Gianluca,	potreste arrivare	la bicicletta?
I tuoi genitori	ci darebbero sicuramente	un po' prima?
Io	preferirei andare	queste lettere?
Noi	potrebbe firmare	la camera.
Voi eventualmente	mi daresti una mano a riparare	la loro macchina.

11 Completa le frasi con il condizionale dei verbi.

1. Franco (volere) _____ comprare una motocicletta.

2. Luciana, mi (dare) _____ il sale, per favore?

3. Mi (piacere) _____ andare a Rio.

4. Mi scusi, (potere) _____ aprire la finestra?

5. Ragazzi, mi (dare) _____ una mano a mettere in ordine?

6. Beh, i tuoi amici (potere) _____ arrivare anche un po' prima!

7. Se ti va, (noi-potere) _____ andare di nuovo al ristorante cinese.

8. Non credo che Barbara (venire) _____ con noi.

9. Mi (prestare) _____ un attimo la tua penna?

10. Senta, scusi, ci (portare) _____ ancora un po' di pane?

12 Cosa si esprime con il condizionale? Metti una X per ogni frase.

	richiesta gentile	desiderio	consiglio/proposta	supposizione
1. Potrebbe portarmi il conto?				
2. Per la festa potresti mettere il vestito rosso!				
3. Non credo che funzionerebbe.				
4. Vorrei tanto andare in Sudamerica.				
5. Potremmo andare in campeggio!				

13 Completa le frasi con il condizionale dei verbi (non sono in ordine).

mettere   abitare   venire   dare

stare   potere   dire   dovere

1. Lucca è veramente una bellissima città. Credo che ci _____ volentieri.

2. Secondo me Patrizia _____ meglio con i capelli corti.

3. Mi scusi, mi _____ l'ora?

4. Alla festa (io) _____ invitare anche Renato, che ne dici?

5. Ti _____ a trovare volentieri, ma fino a venerdì non ho proprio tempo.

6. Ragazzi, _____ studiare di più!

7. Io veramente non _____ le scarpe blu con la gonna nera.

8. Mi _____ il numero di cellulare di tuo fratello?

Infobox

Gli italiani, un popolo di superstiziosi? Sostanzialmente l'italiano medio non crede alla superstizione. Recenti sondaggi hanno rivelato che due italiani su tre non danno molta importanza a questi fenomeni. Eppure, siccome «non ci credo, ma non si sa mai», molti si preoccupano se un gatto nero gli attraversa la strada. Nel Nord, invece, è considerata più negativa la rottura di uno specchio in casa. E l'oroscopo e i segni zodiacali? Molti credono all'astrologia e leggono l'oroscopo specialmente se hanno problemi di lavoro, di cuore, di salute e anche per problemi economici.

---

14 Ricapitoliamo

Con quali dei tuoi amici faresti volentieri un viaggio o un'altra attività? Descrivi le qualità di queste persone e pensa ai vantaggi e agli svantaggi di fare un viaggio o un'altra attività con loro.

↬→ **C o n s i g l i o**

L'ascolto nell'apprendimento di una lingua è molto importante. A lezione ascolti di solito il tuo/la tua insegnante e gli altri studenti. Fuori dal corso dovresti ascoltare il CD di Espresso. In questo modo ripeti quello che hai imparato e ti abitui alle differenti voci degli speaker e ai loro accenti. Ripetendo gli ascolti continuamente, anche in macchina, ti abitui facilmente alla velocità del parlato.

1 **Dove?**

Rispondi con le preposizioni.

Ci vado quando ...

voglio prendere un caffè.	Al bar.
voglio vedere un film.	_____
voglio vedere un'opera.	_____
voglio vedere dei quadri.	_____
voglio ballare.	_____
voglio mangiare una pizza.	_____

> **I n f o b o x**
>
> **Il telefonino**. L'amore, o meglio, la passione degli italiani per il telefono cellulare, chiamato ormai comunemente telefonino, non è un mistero. Il 70% della popolazione lo usa per chiacchierarci, i giovani soprattutto per mandarsi messaggi. Piace ai genitori che possono così raggiungere i figli in ogni momento, piace ai figli per i quali rappresenta un simbolo di indipendenza e di maturità.

2 **Una telefonata**

Completa il dialogo con queste espressioni.

vedere   tempo   perfetto

sera   volentieri   Hai voglia di

Perché   che programmi

impegni

■ Pronto?

▼ Pronto, Stefania, ciao sono Marisa.

■ Ah, ciao Marisa!

▼ Senti, _____ hai per venerdì _____ ?

■ Hmmm, per ora non ho _____ . _____ ?

▼ _____ venire all'Opera con me?

■ Sì, _____ , è da tantissimo _____

che non ci vado. E senti, cosa andiamo a _____ ?

■ Il Rigoletto.

▼ Ah, _____ !

3 Chi parla con chi?

ANDREA: Andiamo a vedere la mostra di Modigliani domenica mattina?

AMANDA: Veramente pensavo di invitare un po' di gente a casa mia. Potresti venire anche tu, se vuoi.

ANNA: Senti sabato sera ti va di andare al cinema?

VINCENZO: Senti, che ne dici di andare a ballare stasera?

BEATRICE: Mah, veramente sono un po' stanca. Oggi ho lavorato così tanto.

DARIO: Sì, volentieri. Tu però a che ora vorresti andarci? Perché sai, vorrei dormire un po'!

4 Mi dispiace, ma non posso.

Un amico vorrebbe fare qualcosa con te. La prossima settimana però la tua agenda è piena.

Spiega perché non puoi.

Lunedì non posso perché devo lavorare.

Martedì non posso _____

_____

_____

_____

_____

lunedì	*lavoro*
martedì	*accompagnare Catia alla stazione*
mercoledì	*teatro*
giovedì	*corso d'inglese*
venerdì	*cena di lavoro*
sabato	*festa di Riccardo*
domenica	*mostra di Modigliani*

Esercizi

4

5 Che cosa stanno facendo?

Fai delle frasi con stare + *gerundio.*

Anita

Marta e Luisa

Luca

Licia

Mattia

Aldo e Giacomo

Ernesto

Anna

6 Metti in ordine il dialogo.

① Senti, allora ci vediamo sabato mattina?

○ Hmmm, facciamo alle 10.30.

○ E dove ci incontriamo?

○ D'accordo, a sabato, allora.

○ Ma no, dai, facciamo direttamente davanti al negozio.

○ Verso le 10.00?

○ Mah, io direi di vederci alla fermata della metropolitana.

○ Sì, per me va bene.

○ OK, d'accordo, e a che ora?

Infobox

Tempo libero. Il passatempo (hobby) preferito dagli italiani è in generale la televisione. Pochi invece quelli che leggono: gli uomini leggono i giornali quotidiani più delle donne, ma solo il 38% della popolazione legge libri. Il cinema è ancora molto amato, specialmente dai giovani. Gli spettacoli sportivi sono seguiti più dagli uomini che dalle donne, mentre le discoteche sono frequentate soprattutto dai giovani fra i 18 e i 24 anni.

---

7 Rispondi come nell'esempio.

1. Hai una penna?   Sì, ce l'ho.

2. Chi ha le chiavi?   _____ ha Giovanna.

3. Hai tu il mio cellulare?   No, _____ ha Damiano.

4. Avete voi i biglietti?   Sì, _____ abbiamo noi.

5. Chi ha il mio giornale?   _____ ha Francesca.

---

8 Completa le frasi con i pronomi e con l'ultima lettera del participio.

1. Ieri ho incontrato Marcello e _____ ho invitat__ a cena da noi sabato sera.

2. Senti, i miei occhiali, dove _____ hai mess__?

3. La guida di Bologna _____ hai portat__?

4. Sì, è un bellissimo film, pensa che _____ ho vist__ tre volte!

5. Federica? No, non _____ ho ancora chiamat__, ma lo faccio subito.

6. Le uova _____ ho comprat__ nel negozio biologico.

9 Ha già ...?

Guarda la lista e forma delle frasi con già *e* non ancora.

```
comprare il vino ✓
invitare Luisa a cena ✓
chiamare Teresa
portare le giacche in lavanderia* ✓
comprare i biglietti
pagare la bolletta del telefono ✓
chiamare il dentista
controllare la posta
```

* lavanderia = posto dove si portano a lavare i vestiti

```
Il vino l'ho già comprato.
Teresa non l'ho ancora chiamata.
```

10 Trasforma le frasi come nell'esempio.

1. Devi spegnere il telefonino!   Devi spegnerlo / lo devi spegnere!

2. Non puoi bere tutto quel caffè! _____ !

3. Dovete portare i libri! _____ !

4. Non devi guardare troppo la televisione! _____ !

5. Posso lasciare la macchina qui? _____ ?

6. Puoi spegnere la radio? _____ ?

⊱▷ Consiglio

> *Quando si impara è normale fare errori. L'importante è farsi capire! Parla,*
> *ascolta, leggi: usa l'italiano il più possibile.*

11 Guarda un'altra volta i disegni a pag. 50
e collegali con queste frasi.

a. Ci sono altre persone che vogliono guardare!   (disegno n. _____)

b. Evitiamo rumori fastidiosi!   (disegno n. _____)

c. Se non stiamo bene, restiamo a casa!   (disegno n. _____)

d. Se siamo in ritardo evitiamo di disturbare gli altri.   (disegno n. _____)

e. Il cellulare è utile per noi, ma spesso fastidioso per gli altri.   (disegno n. _____)

12 Completa le frasi con queste espressioni.

cerchiamo   proviamo

cercare di   è d'obbligo   evitare di

1. _____ a spegnere il cellulare ogni tanto!

2. Nei luoghi pubblici _____ di tenere un comportamento corretto.

3. _____ arrivare puntuali a teatro.

4. Al museo si dovrebbe _____ leggere la guida ad alta voce.

5. A teatro si deve _____ non tossire.

13 *Che* o preposizione + *cui?*

1. Questa è la macchina _____ abbiamo comprato. Ti piace?

2. È quello il ragazzo _____ abita Marisa?

3. Preferisco la pizza _____ abbiamo mangiato nell'altra pizzeria.

4. Mara è una persona _____ penso spesso.

5. La camera _____ ci hanno dato non ci piace molto.

6. Signor Franceschini, questo è il ragazzo _____ Le ho parlato.

7. Alessandra è l'amica _____ scrivo più spesso.

8. È lo stesso campeggio _____ siamo stati noi l'anno scorso.

14 Ricapitoliamo

Che programmi hai per il prossimo fine settimana? Cosa vuoi fare?

Prima di iniziare a studiare un nuovo argomento, prepara su di esso una lista di parole ed espressioni che già conosci.

1 Qual è l'intruso?

1. sacco a pelo, tenda, campeggio, nave _____

2. motocicletta, treno, autunno, aereo _____

3. guida turistica, agriturismo, camera privata, albergo _____

4. valigia, zaino, cellulare, bagaglio _____

2 Metti in ordine il dialogo.

① Senti, Flavia, volevo chiederti una cosa.

○ Ah, e senti, i bambini si sono divertiti?

○ Ah, perfetto allora. Senti,
non è che per caso hai l'indirizzo?

○ Sì, in Umbria.

○ Guarda, noi ci siamo trovati benissimo.
Il posto era splendido e per niente caro.

○ Sì, dimmi pure.

○ E come ti sei trovata? Perché sai,
volevamo andarci anche noi quest'anno.

○ Sì, tantissimo, anche perché lì c'erano molti animali e il lago non era lontano.

○ Sì, dovrei averlo da qualche parte.

○ Ho saputo che sei stata in un agriturismo.

Infobox

Agriturismo. Il fenomeno dell'agriturismo è nato in Italia alla fine degli anni '80. Oggi ci sono molti agriturismi dove è possibile godere delle qualità della vita di campagna e dove gli ospiti possono partecipare alle attività agricole. Ma agriturismo significa anche gustare una buona cucina dai sapori antichi, avere a disposizione prodotti naturali (spesso biologici), rilassarsi, dedicarsi allo sport e fare escursioni.

Esercizi

5

3 Collega le parti di sinistra con quelle di destra e fai delle frasi.

1. Volevo chiederti se   a. ma poi ha cominciato a piovere.

2. Volevamo chiedervi se   b. puoi andarli a prendere alla stazione.

3. Volevo andare al mare,   c. puoi darmi la macchina stasera.

4. Scusa, volevi sapere   d. a che ora finisco di lavorare?

5. I ragazzi volevano sapere se   e. volete venire a cena da noi sabato.

4 Completa le frasi con l'imperfetto o il passato prossimo.

1. (io-sapere) _____ che ti sei laureato, bravo!

2. Dove (tu-conoscere) _____ la tua ragazza?

3. Quando (io-arrivare) _____ a Barcellona tre anni fa,

   non (conoscere) _____ nessuno.

4. Ma sì, Luca (abitare) _____ per due anni a Londra,

   non lo (sapere) _____ ?

5. Scusateci per il ritardo, ma non (conoscere) _____ bene la strada.

6. Beh, allora? I tuoi genitori (conoscere) _____ già

   Marco o ancora no?

7. Oddio, io (preparare) _____ l'arrosto e tu sei vegetariano*,

   scusami, ma non lo (sapere) _____ !

   * vegetariano = persona che non mangia carne

5 Vero o falso?

Rileggi il testo a pag. 58 e segna con una X le risposte giuste.

Il protagonista*:

1. a. va in vacanza con un amico.   ☐
   b. con la sua ragazza Roberta.   ☐
2. a. porta con sé la tenda.   ☐
   b. porta con sé solo il sacco a pelo. ☐
3. a. è già stato molte volte all'estero. ☐
   b. non è mai stato all'estero.   ☐

4. a. arriva ad Atene di notte.   ☐
   b. arriva ad Atene di giorno.   ☐
5. a. resta ad Atene.   ☐
   b. prosegue per un'isola.   ☐

* protagonista = il personaggio più importante di una storia

⇨ Consiglio

Non leggere solo le letture che sono nel libro, ma anche altro materiale autentico come dépliant o giornali e sottolinea tutte le informazioni che capisci.

6 Fuori dall'Italia

Ora completa il testo con i verbi al tempo giusto. I verbi sono in ordine.

andare – fare – volere – avere – dire – servire – fare – riempire –
arrivare – essere – conoscere – riuscire – portare – esserci - esserci

Il giorno dopo (noi) _____ in un'agenzia a comprare due biglietti
Venezia-Pireo, passaggio di solo ponte, e uno per la mia moto. (noi) _____ _____
brevi preparativi, messo da parte le poche cose che (noi) _____ portare.
(io) _____ ancora la piccola tenda canadese della mia vacanza con Roberta due
estati prima, ma Guido _____ che non _____ _____, ci sarebbero
bastati i sacchi a pelo. Era la prima volta in vita mia che _____ un viaggio
fuori dall'Italia, pensarci mi _____ di agitazione.
(noi) _____ nel porto di Atene sotto il sole a picco di mezzogiorno (noi) _____ _____ eccitati all'idea di essere fuori dall'Italia e in
un posto che non (noi) _____ affatto, senza ancora nessun programma definito. Quando finalmente (noi) _____ a scendere
(noi) _____ la moto a mano, cauti di fronte all'assalto di suoni e immagini. _____ una quantità incredibile di giovani stranieri, a piccoli
gruppi e a coppie e singoli, con zaini e sacchi a pelo sulle spalle, cappelli e fazzoletti in
testa, sandali ai piedi. _____ ragazze scandinave dalla pelle molto
chiara e americani con custodie di chitarre, ragazze francesi magre e interessanti, branchi
di tedeschi dai capelli lunghi.

Esercizi

5

Infobox

Mentre vai in vacanza aiuti altri popoli.
Rispettare l'ambiente, dormire in piccole
pensioni, mangiare nelle trattorie a gestione
familiare, conoscere le tradizioni locali,
evitare lo spreco ... sono i principi base del
turismo responsabile, un modo di viaggiare
studiato per sostenere l'economia

dei Paesi che si visitano. Tra le associazioni
impegnate su questo fronte c'è Ram, con
sede a Camogli, che organizza viaggi
all'estero e in Italia. Per ogni persona che
partecipa a un viaggio all'estero vengono dati
50 euro a un progetto rivolto ad aiutare una
comunità locale.

7 Una vacanza in un villaggio

Completa il racconto di Paolo con i verbi al tempo giusto
(passato prossimo / imperfetto).

Quest'anno (decidere) _____ di andare in vacanza in un villaggio turisti-

co e devo dire che (trovarsi) _____ proprio bene. (fare)

_____ sport, (conoscere) _____ tanta gente simpatica

e (riuscire) _____ anche a riposarmi un po'.

Il villaggio (essere) _____ vicinissimo al mare, i bungalows (essere)

_____ molto puliti e la cucina (essere) _____ non solo molto buona,

ma anche varia*. (esserci) _____ addirittura dei piatti per le persone vege-

tariane. Una cosa che mi (piacere) _____ molto è che

non (noi - essere) _____ costretti a partecipare alle varie attività.

Chi (volere) _____ , (potere) _____ andare in spiaggia

e restarci anche tutto il giorno. Io (partecipare) _____ a molte

attività; in dieci giorni (imparare) _____ a fare surf e a ballare la salsa.

* varia = di diversi tipi

8 Ma dai!

Cosa diresti in queste situazioni?

1. Una vostra carissima amica va a vivere
   in un'altra città.
   Che sfortuna!   ☐
   Oh, mi dispiace!   ☐

2. Un vostro amico ha perso le chiavi
   della macchina.
   Che guaio, mi dispiace!   ☐
   Meno male!   ☐

3. Qualcuno vi passa avanti mentre fate
   la fila alla cassa.
   Che peccato!   ☐
   Roba da matti!   ☐

4. Venite a sapere che un vostro amico si sposa
   per la terza volta.
   Ma davvero?   ☐
   Che disastro!   ☐

5. Vostra sorella aspetta un bambino.
   Davvero?   ☐
   Roba da matti!   ☐

9 Una telefonata

Completa il dialogo con i verbi al tempo giusto (passato prossimo / imperfetto).

■ Pronto?

▼ Pronto, Delia, ciao sono Marisa.

■ Ah, Marisa, _____ già _____ ?   tornare

▼ Sì, _____ a casa ieri sera, verso le dieci.   (noi) arrivare

■ E allora, come _____ il viaggio? Racconta!   andare

▼ Benissimo. _____ una vacanza bellissima!   essere

■ Mi fa piacere. E senti, _____ in quell'albergo   andare

   che vi _____ noi?   consigliare

▼ No, purtroppo no, perché non _____ più camere libere.   esserci

   Però ne _____ un altro, un po' più caro, ma   (noi) trovare

   ugualmente* carino.

■ Ah, e senti il tempo come _____ ?   essere

▼ Bello, molto bello, anche perché non _____ molto caldo.   fare

■ _____ anche alle Eolie?   andare

▼ No, purtroppo no. _____ andarci, però poi   (noi) volere

   _____ di restare un po' di più a Taormina,   decidere

   anche perché _____ una coppia simpaticissima   conoscere

   e insieme a loro _____ alcune escursioni.   fare

■ Ah, bene!

* ugualmente = nello stesso modo

10 *Ci vuole o ci vogliono? Vuole o vogliono?*

1. Per andare in Cina _____ il visto*.

2. Senti, quante uova _____ per fare il tiramisù?

3. Per imparare una lingua straniera _____
   soprattutto pazienza!

4. Luisa non _____ prendere il traghetto.

5. Da Roma a Milano _____ circa cinque ore.

6. I miei genitori non _____ mai viaggiare in aereo.

7. Quanto tempo _____ per arrivare a Perugia?

* visto= visa

Esercizi

5

11 Completa il dialogo.

Buongiorno.

Saluti e dici che vuoi delle
informazioni su Ischia.

_____

_____

Sì.

Chiedi come si raggiunge l'isola.

_____

Beh, può arrivare con il treno fino a Napoli e
poi da lì prendere il traghetto o l'aliscafo.

Chiedi quanto tempo ci vuole con il traghetto.

_____

Un'ora e venti minuti.

Chiedi il prezzo.

_____

5 euro.

Chiedi se ci sono traghetti di pomeriggio.

_____

_____

Sì, ce n'è uno che parte alle 14.25 da Napoli e
arriva a Ischia alle 15.45.

12 Completa le frasi con le preposizioni.

1. ■ Ho saputo che l'estate scorsa sei stato _____ un villaggio turistico.

   ▼ Sì, _____ Puglia, vicino _____ Peschici.

2. ■ Scusa, vai _____ centro?

   ▼ Sì, perché?

   ■ Posso venire _____ te? Dovrei cambiare una cosa che ho comprato ieri.

3. ■ Senta, c'è un treno che parte _____ sera?

   ▼ Sì, c'è un treno che parte _____ Roma _____ 21.15 e arriva _____ Monaco _____ 8.30.

4. ■ Io ho paura _____ aereo, preferisco viaggiare _____ treno.

   ▼ Allora può prendere il treno fino _____ Genova e da lì prendere il traghetto _____ Olbia.

13 Ricapitoliamo

Come ti piace viaggiare? Dove hai passato le vacanze quest'anno? E l'anno scorso?

Parla di una vacanza che è stata particolarmente bella.

È molto utile provare a spiegare in un altro modo parole che, in un particolare momento, non ricordiamo. Per poter usare questa tecnica, esercitati continuamente con parole che conosci. Pensa a come potresti spiegare con altre parole un vocabolo, un concetto, una situazione. In questo modo sei flessibile e in più rinfreschi "vecchie" conoscenze.

1 La piramide alimentare

1° gruppo: riso, _____

2° gruppo: _____

3° gruppo: _____

4° gruppo: _____

Infobox

Agricoltura biologica, Italia prima in Europa. Con quasi un milione di ettari di coltivazione (il 6% della superficie agricola) e 50 mila aziende certificate, l'Italia è al primo posto in Europa in fatto di agricoltura biologica.

Il 66% dei bio-contadini ha meno di 45 anni, il 46% non aveva mai gestito prima un'azienda agricola e il 21% sono donne.

2 Consigli

Cosa deve fare una persona che ha questi problemi? Da' dei consigli usando i seguenti verbi all'imperativo (con il tu), quando è necessario usa la forma negativa. Attenzione, alcuni verbi devono essere usati due volte.

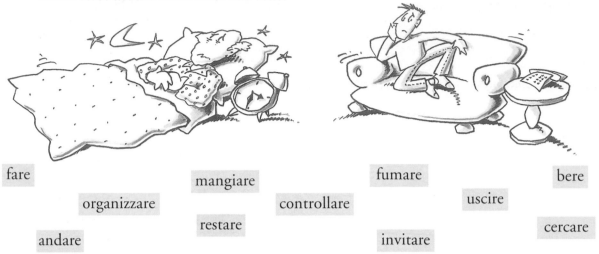

| fare | | | | fumare | | bere |

| | organizzare | | controllare | | uscire | |

| | | restare | | | | cercare |

| andare | | | | invitare | | |

Se hai problemi ad addormentarti*,

_____ troppo a cena,

_____ caffè, _____ invece una

tisana**, _____ troppe sigarette,

_____ la temperatura della camera

da letto, _____ una doccia calda e

_____ a letto sempre alla stessa ora.

Se vuoi conoscere gente nuova,

_____ a casa, _____

con gli amici, _____ a ballare,

_____ sport, _____

di essere meno timido. _____

delle feste o _____

semplicemente gente a casa tua.

*addormentarsi = iniziare a dormire ** tisana = bevanda rilassante

3 Forme irregolari

Metti ogni verbo all'imperativo vicino all'infinito corrispondente.

| fa' | | sta' | | va' | | sii |

| | di' | | abbi | | da' | |

andare	_____		fare	_____
avere	_____		dare	_____
dire	_____		stare	_____
essere	_____			

4 Mi serve ...

Completa le frasi con il verbo servire.

1. Guarda che non ti _____ a niente saltare i pasti!
2. I tuoi consigli non mi _____ , grazie!
3. Quanto pane hai detto che ci _____ ?
4. Le _____ qualcos'altro?
5. Per fare il dolce, mi _____ ancora due uova.

5 La buona tavola

*Rileggi il testo a pag. 70 e metti in ordine i
seguenti consigli.*

○ È meglio spendere qualcosa in più,
    ma comprare prodotti biologici.
○ I tuoi non sono a casa? Fa' ugualmente un pasto
    completo e siediti a tavola!
○ Controlla bene i prodotti che compri!
○ Anche se hai poco tempo mangia tranquillamente.
○ Dovresti sostenere i prodotti tradizionali!
○ Non dovresti guardare la TV quando sei a tavola!

Esercizi

6

6 Chiamami oggi pomeriggio!

Rispondi alle domande come nell'esempio. Fa' attenzione ai pronomi.

Ti chiamo stasera?   No, chiamami oggi pomeriggio!

1. Lo chiamo o gli scrivo una mail?   _____ una mail!
2. Ti aspetto al bar o davanti al cinema?   _____ al bar!
3. Il prosciutto lo prendo cotto o crudo?   _____ crudo!
4. La torta la preparo adesso o più tardi? _____ adesso!
5. I biglietti li compri tu o io?   _____ tu!
6. Le compro un libro o dei fiori?   _____ dei fiori!
7. Mi porto il cappotto o la giacca?   _____ la giacca!

7 Forma delle frasi come nell'esempio.

A chi devo dare i libri? Dalli a Fabiana.

1. Dove devo fare la spesa? _____ al mercato!
2. Come faccio il pollo? _____ con le patate!
3. Con chi vado al cinema? _____ con Luisa!
4. A chi devo dare la lettera? _____ a Carlo!
5. Come vado a casa ora? _____ a piedi!
6. A chi altro devo dire della festa? _____ anche ai tuoi colleghi!

8 Unisci le parti di sinistra con quelle di destra e forma delle frasi.

1. Hai già fatto la lista quello che mangi a pranzo?
2. Credimi! Questo è quello che pensate voi.
3. Un panino e una baguette, questo è di quello che ci serve?
4. Uno yogurt? Questo è quello che mi ha detto lui!
5. Scusate, ma questo è quello che ho trovato dal panettiere.

9 Completa

Completa le frasi con i verbi all'imperativo (con il tu).

1. Arrivi sempre tardi al lavoro? Allora (svegliarsi) _____ prima la mattina!
2. A me gli spaghetti al ragù non piacciono, (fare) _____ al pesto, per favore.
3. Invece di aspettarmi a casa, (aspettare) _____ in pizzeria!
4. (Alzarsi) _____ altrimenti perdi il treno!
5. Anche se sei solo a casa, (trattarsi) _____ bene!
6. Noi stasera siamo a casa. Se vuoi, (venire) _____ a trovare!
7. La spesa (fare) _____ nel negozio biologico!
8. La prossima volta che compri le arance, (scegliere) _____ piu grandi!

⇨ Consiglio

Stai cucinando? Di' in italiano i nomi degli ingredienti e prova a spiegare anche come si prepara il piatto che stai cucinando.

10 Come si dice ... ?

Rileggi il testo a pag. 72 e cerca le espressioni corrispondenti.

1. Un caffè senza latte _____

2. Un ristorante in cui si mangiano delle cose «esotiche» _____

3. Fiocchi d'avena*, müsli ... _____

4. Un pasto veloce _____

5. Il contrario di un pasto «leggero» _____

* fiocchi d'avena = corn flakes

11 Dove si parla ...

1. dell'importanza della colazione   a. righe 1–7

2. del solito amore per la pasta   b. righe 8–11

3. del maggiore controllo su quello che si mangia c. righe 12–16

4. del nuovo amore per la cucina esotica   d. righe 17–19

5. della spesa per mangiar fuori   e. righe 20–22

6. del confronto tra vecchie e nuove abitudini alimentari f. righe 23–26

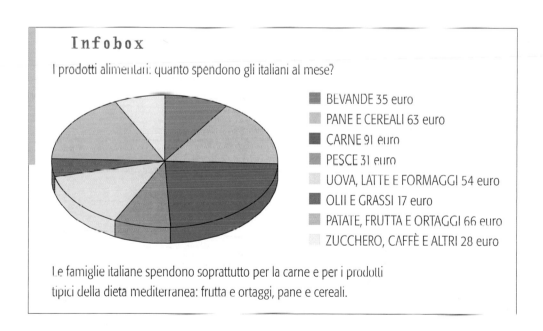

Infobox

I prodotti alimentari: quanto spendono gli italiani al mese?

■ BEVANDE 35 euro
■ PANE E CEREALI 63 euro
■ CARNE 91 euro
■ PESCE 31 euro
■ UOVA, LATTE E FORMAGGI 54 euro
■ OLII E GRASSI 17 euro
■ PATATE, FRUTTA E ORTAGGI 66 euro
■ ZUCCHERO, CAFFÈ E ALTRI 28 euro

Le famiglie italiane spendono soprattutto per la carne e per i prodotti tipici della dieta mediterranea: frutta e ortaggi, pane e cereali.

12 Ricapitoliamo

Cosa ti piace e cosa non ti piace mangiare? Pensa alle tue abitudini alimentari e a quelle delle persone che conosci. Cosa cambieresti? Immagina di dare dei consigli agli altri.

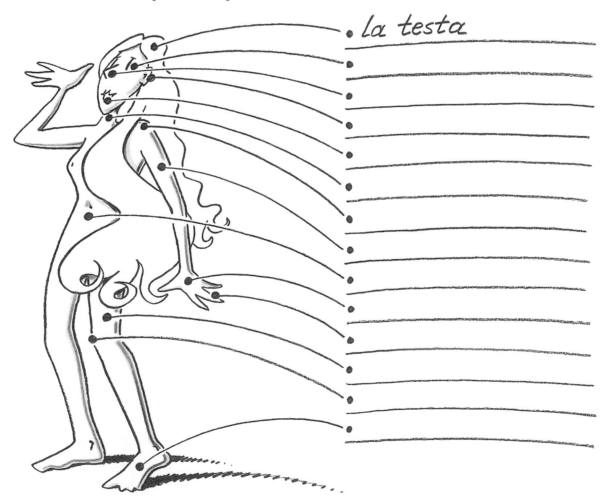

➵➤ **C o n s i g l i o**

Ripeti ogni tanto i nomi del corpo in italiano: ripetili ad alta voce indicandoli sul tuo corpo. Oppure muovi contemporaneamente la mano, la testa e tutte le parti del corpo che si muovono.

1 Da chi?

Da chi vai se ...

1. hai problemi agli occhi?   _____
2. sei raffreddato?   _____
3. hai mal di denti?   _____
4. hai mal di schiena?   _____

2 Il corpo umano

Come si chiamano le parti del corpo?

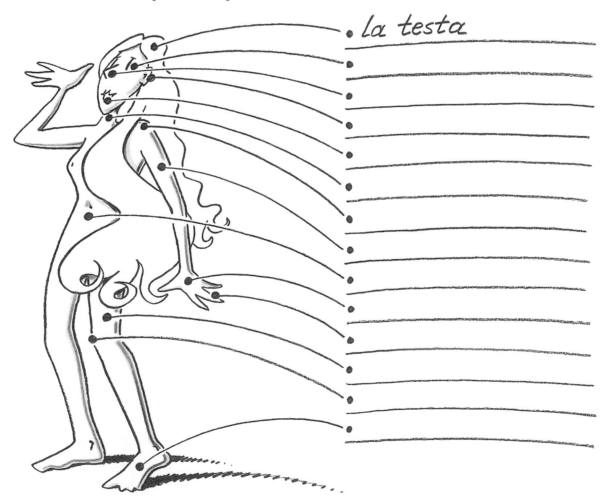

la testa

Esercizi

7

3 Ho mal di ...

Collega le frasi ai disegni.

1. Oddio, che mal di denti!

2. Ho una terribile allergia al polline!

3. Ho mangiato qualcosa che mi ha fatto male!

4. Oggi non vado a scuola, ho il raffreddore!

5. Che mal di schiena!

6. Non posso lavorare con questo mal di testa!

 4 Tu & Lei

Completa con le forme mancanti.

Tu	Lei
Entra pure!	_____ !
Senti, scusa!	_____ !
Prendi ancora un po' di vino!	_____ !
_____ !	Ascolti questa canzone!
_____ !	Scriva le parole!

Nella forma del tu:

i verbi in –*are* terminano in _____ ,

i verbi in –*ere* terminano in _____ ,

i verbi in *ire* terminano in _____ .

Nella forma del Lei

i verbi in –*are* terminano in _____ ,

i verbi in –*ere* terminano in _____ ,

i verbi in –*ire* terminano in _____ .

Impara le forme irregolari dell'imperativo insieme all'infinito.

5 Forme irregolari

Metti ogni verbo all'imperativo vicino all'infinito corrispondente.

abbia   dia   faccia   sia   stia   venga

dica   salga   vada   tenga

andare	_____	fare	_____
avere	_____	salire	_____
dare	_____	tenere	_____
dire	_____	stare	_____
essere	_____	venire	_____

6 Consigli

*Completa le frasi con i verbi all'imperativo (con il Lei). Quando è necessario,
usa la forma negativa.*

leggere un libro   mangiare cose pesanti   fare yoga   andare a letto

fare un po' di sport   chiamare qualche amico   stare troppo tempo al sole

ordinare una pizza   prendere un'aspirina

1. È stanco? Allora _____

2. Non ha voglia di guardare la TV? Allora _____

3. Non ha voglia di cucinare? Allora _____

4. Vuole tenersi in forma*? Allora _____

5. Ha problemi alla pelle? Allora _____

6. Si sente solo? Allora _____

7. Vuole rilassarsi? Allora _____

8. È raffreddato? Allora _____

9. Ha problemi con lo stomaco? Allora _____

* tenersi in forma = stare bene fisicamente

7 Dare del Lei

Le frasi di sinistra sono rivolte ad amici. Come diciamo se invece diamo del Lei?

1. Non fare la spesa in quel negozio! Signora, _____!
2. Di' a Teresa di portare le cassette! _____!
3. Fammi un favore! _____!
4. Le chiavi mettile sul tavolo! _____!
5. L'acqua non comprarla gasata! _____!
6. Vieni, accomodati! _____!
7. I libri portali in biblioteca, per favore! _____!
8. Le scarpe non comprarle troppo strette! _____!

8 Meglio o migliore?

Completa le frasi con meglio o migliore.

1. Sì, questo computer è sicuramente _____ , però è anche molto più caro!
2. Ti dico che questa è la strada _____ !
3. Secondo me è _____ se andiamo domani a far la spesa.
4. Guarda, a volte con questo traffico la cosa _____ è andare a piedi!
5. Che dici, è _____ se gli scrivo o se lo chiamo?
6. Mah, per me Marco guida _____ di Andrea.

9 Completa i dialoghi con *meglio, migliore, benissimo o ottimo/-a*.

1. ■ Senti, che ne dici di invitare Sandra e Paolo sabato sera?
   ▼ Sì, mi sembra un'_____ idea!

2. ■ Allora, ti è piaciuto il pranzo?
   ▼ Sì, ti ringrazio, era veramente tutto _____ !

3. ■ Secondo me è _____ andare in macchina.
   ▼ Per me va _____ , però guidi tu!

4. ■ Hai visto com'è dimagrita Laura?
   ▼ Sì, l'ho incontrata un paio di giorni fa. Adesso sta veramente _____ di prima.

5. ■ Il Barolo è sicuramente un _____ vino.
   ▼ Sì, ma io preferisco il Chianti. Per me è un vino _____ del Barolo.

Esercizi

7

10 Nel testo si dice che ...

Rileggi il testo a pag. 82 e segna qui sotto con una X le frasi che si riferiscono al testo.

Quando pratichiamo uno sport dobbiamo scegliere le scarpe giuste. ☐

Gli italiani fanno più sport in estate che in inverno. ☐

Fare uno sport aiuta a mantenere la linea*. ☐

Gli italiani praticano regolarmente uno sport. ☐

Lo sport più amato in inverno è lo sci. ☐

Bisognerebbe seguire lo sport più adatto a se stessi. ☐

È importante chiedere consiglio al medico prima di iniziare a praticare uno sport. ☐

Il nuoto è lo sport più sano. ☐

Se si fa sport, si dovrebbe bere molto. ☐

* mantenere la linea = non ingrassare

11 Consigli per il viaggio

Completa il testo con i verbi all'imperativo (2ª persona plurale).
I verbi non sono in ordine.

fare	bere	mangiare	muoversi	alzare	alzarsi

Volete partire per le vacanze con il piede giusto? Ecco alcuni consigli per rendere

il viaggio più comodo per voi e per le vostre gambe.

In macchina: se il viaggio è lungo, _____ una pausa ogni due ore.

In treno: _____ ogni tanto a passeggiare. Oppure _____

alternativamente* i piedi per almeno 20 volte.

In aereo: per evitare problemi durante i lunghi viaggi in posizione scomoda

_____, _____ tanta acqua e _____ cibi leggeri.

*alternativamente = prima uno poi l'altro

Infobox

Medicina Alternativa. Tanti italiani si rivolgono oggi alla cosiddetta «medicina alternativa». L'agopuntura è la terapia più diffusa, praticata in circa 130 ospedali e cliniche. In aumento anche gli italiani che ricorrono alla medicina omeopatica. Molti sono perfino interessati alla cura con le piante: in circa 4.300 negozi e farmacie, infatti, è possibile trovare prodotti erboristici.

12 Vero o falso?

Rileggi il testo a p. 84 e decidi se le seguenti frasi sono vere o false.

	sì	no
1. Più di otto milioni di italiani si curano con le medicine alternative.	☐	☐
2. Il numero di persone che si rivolgono a questo tipo di medicina è aumentato di tre volte in dieci anni.	☐	☐
3. Uomini e donne si rivolgono nella stessa misura alla medicina alternativa.	☐	☐
4. La medicina alternativa viene usata per i bambini di ogni età.	☐	☐
5. La maggior parte degli italiani si rivolge alle medicine alternative perché le considera più efficaci di quelle tradizionali.	☐	☐
6. Per alcune persone le medicine alternative permettono un rapporto migliore con il medico.	☐	☐

Infobox

Il Servizio Sanitario Nazionale per gli stranieri. Il Servizio Sanitario Nazionale (SSN) è un insieme di strutture e servizi che assicurano l'assistenza sanitaria a tutti i cittadini italiani e stranieri. Per ricevere assistenza, uno straniero che vive in Italia deve avere la tessera sanitaria, il documento che prova l'iscrizione al SSN. L'iscrizione si fa presso le Aziende Sanitarie Locali (ASL) e dà diritto alla scelta del medico e all'assistenza specialistica. Gli stranieri che si trovano in Italia per motivi di studio, per poter usufruire dei servizi sanitari, devono invece richiedere nel loro Paese il modello E 111, per prestazioni urgenti, o il modello E 128, valido per tutte le prestazioni nel periodo del corso di studio. I turisti, in caso di malattia, possono rivolgersi alla farmacia di turno o al pronto soccorso dell'ospedale della zona.

---

13 Ricapitoliamo

Scrivi cosa consigli per alcune malattie.
Cosa fai quando sei malato/- a?

⇛→ C o n s i g l i o

È molto importante sapere cosa dire in particolari situazioni.
Perciò è utile avere alcune frasi pronte per l'uso. La cosa migliore
è impararle a memoria.

1 Come si può dire in un altro modo?

Rileggi il dialogo a pag. 90 e cerca le espressioni che corrispondono alle parole in corsivo.
Poi riscrivi le frasi qui sotto usando le espressioni del dialogo.

1. *Hai finito l'università.*　　　　　　　　　_____

2. *Andrò ad aiutare la* mia famiglia.　　　_____

3. *Si deve* essere gentili con tutti.　　　　_____

4. Oggi devo studiare *seriamente*.　　　　_____

5. Questo lavoro *non è l'ideale*, ma …　　_____

6. Ho studiato *circa* tre ore.　　　　　　_____

2 Che progetti ha Elena?

Completa il testo con i verbi al futuro. I verbi non sono in ordine.

partire　　andare

Dopo il diploma non _____ all'università. Ho intenzione di lavorare
e di aprire un negozio di fiori. _____ nella mia città e non
_____ come hanno fatto i miei fratelli. Però non _____
con i miei genitori. Infatti ho deciso che _____ ad abitare da sola.
Prima o poi di sicuro _____ e _____ dei figli, ma adesso
preferisco non avere un ragazzo fisso. Ma quanti progetti! Intanto domani
_____ per la Sardegna e _____ a casa più o meno fra due
settimane.

ritornare

restare

avere

andare

sposarsi　vivere

trasferirsi

> ### Infobox
>
> **Cosa farò da grande?** Ogni studente, quando arriva all'ultimo anno di
> scuola, si fa spesso questa domanda: «Quale facoltà scegliere
> all'università?» In Italia sempre meno giovani scelgono facoltà scientifiche.
> Il numero degli iscritti a Fisica, Matematica, Chimica, Biologia è in
> diminuzione, malgrado questi siano i settori strategici del futuro.

⇨ Consiglio

*Conosci già le forme del condizionale e adesso conosci anche quelle del futuro.
Come vedi sono molto simili. Quando ripeti una forma irregolare, metti sempre
insieme infinito, condizionale e futuro, per esempio* essere, sarei, sarò.

3 Se andrai avanti così …?

*Scrivi i verbi al futuro. Alla fine nella caselle grigie potrai leggere la risposta alla
domanda del titolo.*

orizzontali ➡

1	essere (tu)
3	comprare (lui)
9	essere (noi)
10	avere (tu)
12	arrivare (tu)
14	abitare (loro)
15	vivere (io)
16	scoprire (tu)
18	essere (io)
19	fare (tu)
21	volere (tu)
22	leggere (lei)
23	comprare (tu)
24	vedere (voi)
25	stare (loro)
26	lavorare (tu)
27	avere (loro)

verticali ↓

2	arrivare (noi)
4	mangiare (io)
5	pagare (io)
6	dovere (tu)
7	pagare (voi)
8	vivere (tu)
9	essere (loro)
11	fare (io)
13	insegnare (lei)
17	andare (voi)
20	avere (io)

4   Bisogna, non bisogna ...

Forma delle frasi.

1. Per non trovare traffico		a. spegnere il telefonino.
2. Il treno è diretto, quindi	bisogna	b. sapere usare il computer.
3. Per trovare un lavoro		c. conoscere le lingue straniere.
4. L'entrata è gratis, quindi	non bisogna	d. uscire presto di casa.
5. Quando si è al cinema		e. comprare i biglietti.
6. Se si vuole lavorare nel turismo		f. cambiare.

 5   Vero o falso?

Rileggi la lettera a pag. 92 e decidi se le frasi sono vere o false.

	sì	no
1. Francesca abita a Milano.	☐	☐
2. Ha letto l'annuncio di lavoro su Internet.	☐	☐
3. È sposata.	☐	☐
4. Ha una laurea in lingue.	☐	☐
5. Ha lavorato per un periodo all'estero.	☐	☐
6. Parla bene più di una lingua straniera.	☐	☐

Infobox

Il sistema scolastico. La scuola italiana prevede una scuola di base, obbligatoria per tutti, costituita da 5 anni di scuola elementare, 3 anni di scuola media e 1 anno di scuola superiore; dal 1999, infatti, l'obbligo è stato alzato fino al 15° anno di età.

Dopo l'esame di licenza media il ragazzo può scegliere di frequentare una Scuola professionale di tre anni o un Istituto superiore per una durata di cinque anni. Alla fine del quinto anno delle scuole superiori è previsto l'esame di maturità, che consiste in tre prove scritte e una orale con un punteggio finale in centesimi. Poi il ragazzo può iscriversi ad un corso di laurea (di quattro o più anni) o ad un corso di «laurea breve» di tre anni.

Esercizi

8

6 Ciao o Gentile signora ...?

Metti le frasi nella colonna giusta.

Gentile signora,   Caro Alessandro,

Egregio dottor Sforza,   Grazie per l'informazione.   A presto!

come stai?   Le porgo i miei più cordiali saluti.   Le invio il mio curriculum.

La ringrazio per l'attenzione.

Mi permetto di presentare domanda ...   Hai l'indirizzo di ...?   Avrei una domanda da farti:

	informale	formale
apertura della lettera:	_____	_____
parte centrale:	_____	_____
	_____	_____
	_____	_____
chiusura della lettera:	_____	_____

7 Le o La?

Forma delle frasi usando il pronome giusto.

1. Signora Bruni, sabato sera ha tempo?   vengo a prendere io.

2. Ha bisogno di un cellulare? Non c'è problema,   **La**   presto il mio.

3. È sicuro che non disturbo?   ringrazio tanto.

4. Ha un attimo di tempo?   **Le**   vorrei domandare una cosa.

5. Signor Nardoni, è stato molto gentile a venire.   posso chiamare anche alle 7.30?

6. No, non prenda la macchina,   vorrei invitare all'opera.

8 Se ...

Collega le frasi e metti i verbi al futuro.

1. Se Paolo arriva di nuovo tardi   a. (potere) _____ sempre cercarne un altro!

2. Se qui non è possibile lavorare part-time   b. (io - finire) _____ prima.

3. Se non ti sbrighi   c. (tu - perdere) _____ il treno.

4. Se mi aiuti anche tu a mettere in ordine   d. non lo (aspettare) _____ mai più!

5. Se non è in casa   e. lo (io - chiamare) _____ sul cellulare.

6. Se il lavoro non ti piacerà   f. mi (cercare) _____ un altro lavoro.

9 Sarà, avrà ...

Rispondi alle domande come nell'esempio.

Secondo te che taglia porta Angela?   Mah, porterà la 44.

1. Secondo te quanti anni ha Marcello?   Mah, _____ più o meno 40 anni!

2. Che ore sono?   Mah, _____ quasi le due.

3. Sai a che ora arriva Teresa?   Mah, _____ verso l'ora di cena.

4. Ma dove sono i bambini?   Non lo so, _____ in giardino.

5. A che ora finisci di lavorare oggi?   Mah, _____ verso le cinque.

6. Quanto tempo ci vuole per arrivare?   Mah, _____ un paio d'ore!

10 Hai sempre sofferto di mal di schiena?

Completa il dialogo con i pronomi.

■ È da una settimana che ho un terribile mal di schiena. Non riesco quasi a muovermi!

▼ _____ è già successo altre volte?

■ Sì, veramente _____ ho sempre sofferto* un po', però mai così!

▼ Sei andato dal medico?

■ No, _____ vado la prossima settimana. Però _____ ho chiamato.

▼ E cosa _____ ha detto?

■ Eh, ha detto che _____ deve visitare** , ma che comunque potrebbe dipendere dallo stress.

▼ Eh, forse lavori troppo.

■ Sì, lavoro troppo e mi muovo poco ... _____ dice sempre anche mia moglie!

▼ Ah, sì? Strano, mia moglie _____ dice la stessa cosa!

■ Beh, forse un po' hanno ragione. Comunque _____ voglio parlare anche con il capo.

▼ Di cosa? Di tua moglie?

■ Ma no! Del mal di schiena! _____ voglio chiedere se posso prendere un paio di giorni di vacanza.

* soffrire di = avere problemi di ** visitare = vedere, esaminare

Infobox

Sempre più studenti part-time. Non è vero che in Italia si sta troppo sui libri, prima di entrare nel mondo del lavoro; e le università non sono poi solo dei «parcheggi». Uno studente universitario su due lavora per mantenersi economicamente, per avere un minimo di indipendenza o per entrare gradualmente nel mercato del lavoro. Si tratta di piccoli lavori, elastici negli orari. Impieghi stagionali, part-time, servizi di segreteria, editoria elettronica, pubbliche relazioni, oltre ai più tradizionali servizi di baby-sitter, hostess e interprete.

11 Lavoro, lavoro …

Rileggi il testo a pag. 95 e segna con una X le affermazioni giuste.

1. Testo

a. ☐ Il prossimo rapporto dell'Unione europea sul lavoro sarà nel 2005.

☐ L'Unione europea fa un sondaggio ogni quattro anni.

b. ☐ Le principali cause di malattia sono il computer e lo stress.

☐ Quasi la metà dei lavoratori europei soffre di stress.

2. Testo

a. ☐ Prima di prendere le vacanze più della metà dei lavoratori deve chiedere al capo.

☐ Più del 50% dei lavoratori può decidere quando prendere i giorni di riposo.

b. ☐ Lo stress è causato soprattutto dal ritmo di lavoro.

☐ Molti lavoratori vivono sotto stress per ore.

3. Testo

a. ☐ I lavoratori dipendenti lavorano più di quelli indipendenti.

☐ I lavoratori autonomi lavorano quasi 50 ore alla settimana.

b. ☐ Il numero di uomini e donne che lavorano part-time è quasi uguale.

☐ Ci sono 5 volte più donne che uomini che lavorano part-time.

4. Testo

a. ☐ Gli uomini hanno impieghi di maggior prestigio rispetto alle donne.

☐ Le donne non sono numerose, ma hanno posti di potere.

b. ☐ Le faccende di casa sono ancora un lavoro tipico delle donne.

☐ Metà degli uomini si dedica alla cucina.

12 Ricapitoliamo

*Hai progetti di lavoro? Ci sono forse delle cose delle quali non sei ancora soddisfatto/-a?
Pensa sognando al futuro e di' cosa faresti se …*

Esercizi

8

↦ Consiglio

La parola casa *indica non solo l'edificio ma anche il posto in cui si vive.*
Perciò anche chi ha un appartamento dice la mia casa.

1 Affittasi

Queste persone cercano un appartamento.
Quali annunci gli consiglieresti?

① **CENTRO STORICO,** affittasi appartamento di tre camere (82 mq circa) in antico palazzo del '700. Bagno e cucina da ristrutturare. Per maggiori informazioni: Tel. 0345/369476

② **CASALPALOCCO,** affittasi villetta con due camere da letto, salone, bagno e grande cucina. Per maggiori informazioni chiamare il numero 0347/6782444

③ **ZONA S. LORENZO (CITTÀ UNIVERSITARIA)** affittasi appartamento di due camere, bagno e cucinino (40 mq circa). Per maggiori informazioni chiamare il numero 06/27 14 370

④ **MONTE MARIO,** appartamento in zona tranquilla, 4 camere, due bagni, cucina, grande terrazza, garage e cantina. Per mag-giori informazioni telefonare al numero 06/59 46 323

⑤ **S. GIOVANNI, CENTRALE,** appartamento di tre camere (71 mq circa) bagno, ampia cucina e balcone. Per maggiori informazioni: 06/70 13 875

⑥ **PRENESTINO, (A 20 MINUTI DALL'UNIVERSITÀ)** monolocale arredato, bagno e cucina abitabile. Per informazioni rivolgersi a: ag. immobiliare Tecnocasa tel.06/7643987

⑦ **CENTRO,** appartamento ristrutturato, due camere, bagno e piccola cucina. Per mag-giori informazioni: 0333/2189010

a. Paola (42) e Carlo (48) hanno due bambini piccoli e un cane. Cercano una casa grande, tranquilla, con una camera per ognuno dei bambini e due bagni.

b. Francesca, (26), studentessa, cerca un piccolo appartamento. Non ha la macchina e non ha molti mobili.

c. Luca (58) e Stefania (53) cercano una casa non molto grande, ma centrale. Meglio se in un palazzo antico.

d. Michele (30) e Giovanna (28) cercano un piccolo appartamento in centro. Per Giovanna è importantissimo avere un balcone e per Michele è importante avere una cucina grande.

Esercizi

9

Casa in affitto o in proprietà?

	Proprietà	Affitto
NORD	79,5	20,5
CENTRO	81,1	10,9
MEZZOGIORNO	80,8	19,2
ITALIA	80,2	19,8

Le famiglie italiane abitano sempre di più in case di proprietà e soltanto una famiglia su cinque vive in affitto.

2 Una bella terrazza, un bel ...

Completa il dialogo con la forma giusta di bello.

■ Martina e Stefano hanno avuto una _____ fortuna!

▼ Eh, sì, in effetti hanno veramente un _____ appartamento, grande, luminoso, diviso bene.

■ Sì, è poi si trova anche in un _____ quartiere, tranquillo, pieno di verde. Ho visto anche che ci sono dei _____ negozi vicino.

▼ Sì, sì, li ho visti.

■ E poi hanno anche dei _____ mobili, no?

▼ Sì, in effetti l'appartamento è arredato molto bene.

3 Completa la tabella del congiuntivo con le forme mancanti.

	io	tu	lui, lei, Lei	noi	voi	loro
giocare				giochiamo		
vedere						vedano
capire			capisca			
uscire		esca			usciate	
sentire						
mangiare	mangi					mangino
avere					abbiate	
essere		sia				

4 È importante che ...

Completa le frasi con i verbi al congiuntivo.

1. Milena e Sandro stanno cercando casa. Per loro è importante che l'appartamento (essere)
_____ in una zona tranquilla con molto verde e che da quelle parti (esserci)
_____ dei negozi e una scuola.

2. Per Delia, che ama tantissimo cucinare, è fondamentale che l'appartamento (avere)
_____ una cucina grande.

3. Ernesto suona il pianoforte. Per lui la cosa più importante è che i vicini non (lamentarsi)
_____ .

4. La signora Valeri cerca un appartamento per sé* e i suoi tre gatti. Per lei è necessario che
(esserci) _____ un balcone e che i vicini (amare) _____ gli animali!

* per sé = per lei

5 Credo che ...

Trasforma le affermazioni in supposizioni.

1. L'appartamento non ha un balcone.
   Mi sembra che _____ .

2. Si trasferisce per vivere accanto alle sorelle.
   Credo che _____ .

3. Insegna ancora in quella scuola.
   Mi sembra che _____ .

4. Vogliono andare a vivere in campagna.
   Mi sembra che _____ .

5. L'appartamento è al quinto piano.
   Credo che _____ .

6. La nuova vicina lavora in casa.
   Penso che _____ .

6 Opinioni

Rispondi alle domande come nell'esempio.

Secondo te la nuova segretaria è americana?   No, credo che sia irlandese.

1. Ma a che ora arrivano i ragazzi?   Mah, credo che _____ verso le sette.
2. Sai se Luca è a casa?   No, credo che _____ ancora in ufficio.
3. Il vino lo dobbiamo portare noi?   No, penso che lo _____ loro.
4. Sai se ci sono ancora i saldi*?   No, penso che non _____ più.
5. Questa radio funziona?   Sì, penso che _____ ancora.
6. Quanto tempo ci vuole?   Mah, credo che _____ tre ore.
7. Ma quante macchine hanno Sonia e Piero?   Credo che ne _____ due.

* saldi = sconti, prezzi economici

7 Vero o falso?

Rileggi il testo a pag. 104 e segna con una X le affermazioni giuste.

	sì	no
1. Alessandra scrive da Francoforte.	☐	☐
2. Il nome della strada in cui abita è uguale a quello di un fiume.	☐	☐
3. L'appartamento è su due piani.	☐	☐
4. La cucina è al secondo livello.	☐	☐
5. In camera da letto c'è un piccolo balcone.	☐	☐
6. Dalla camera da letto si ha una bellissima vista sul canale.	☐	☐
7. L'appartamento era in parte* già arredato.	☐	☐
8. Alessandra si lamenta del traffico.	☐	☐

* in parte = un poco, non tutto

Infobox

La casa italiana nel terzo millennio. Dopo la famiglia e gli affetti, la cosa più importante della vita per gli italiani è la casa, valore profondo e punto di riferimento.
Tendenze del nuovo millennio sono:
• divisioni meno rigide degli ambienti in favore di spazi più aperti;
• rifiuto della modernità nel recupero assoluto della tradizione;
• creazione di «isole» dove ritrovare individualità e privacy.
Per quanto riguarda i materiali, si tende a integrare materiali diversi. Gli italiani sognano quindi una casa flessibile, creativa, di qualità e senza troppa tecnologia.

8 Com'è la casa?

Completa il testo con le seguenti parole.

primo
bella strette vecchio poche
terzo moderna
sottili tranquilla arredata
vecchio accogliente bello
sicura
splendida preferita
grandi nuovi
ripide soli
delizioso

L'appartamento, di circa 100 metri quadrati è su due livelli, è al _____

piano di un edificio senza ascensore e con delle scale _____ e

_____. Al _____ livello ci sono, oltre alla cucina, il salone,

due bagni e la camera degli ospiti. La camera da letto e il terrazzo si trovano invece

al secondo livello. La camera da letto è veramente molto _____, ha un

parquet molto _____ e un terrazzo _____ che dà su un corti-

le. È sicuramente la mia stanza _____, peccato che la usiamo solo

per dormire! Anche il salone è _____, con tre finestre molto

_____ da cui si ha una _____ vista del canale.

Abbiamo arredato questo appartamento con i nostri mobili cercando di adattarli

ai _____ spazi. La cucina invece era già _____, elettrodome-

stici compresi; certo, così com'è non mi piace tantissimo, è un po'

troppo _____ per i miei gusti, però sono _____ che, com-

prando qualche _____ mobiletto e aggiungendo un po' di colore, diventerà

più _____. La casa è abbastanza _____ perché

ad Amsterdam circolano _____ macchine. I _____ rumori

sono quelli prodotti dai vicini, visto che le pareti sono molto _____ .

9 Completa i dialoghi con i verbi al gerundio.

1. ■ Non mi piace questa stanza. È troppo fredda!

   ▼ Beh, sì, hai ragione, però (aggiungere) _____ un po' di colore,
   forse sarebbe più accogliente.

2. ■ Che disastro, la mattina perdo sempre l'autobus!

   ▼ Beh, (alzarsi) _____ un po' prima, forse riusciresti a prenderlo.

3. ■ (vendere) _____ queste vecchie cose forse riuscirei a guadagnare
   un po' di soldi!

4. ■ Non riesco a dimagrire!

   ▼ Beh, (mangiare) _____ meno dolci, forse ci riusciresti!

5. ■ Il salone è un po' vuoto, non ti sembra?

   ▼ Sì, però (mettere) _____ il divano al centro, forse sembrerebbe meno vuoto!

10 Trova il contrario

Scrivi il contrario degli aggettivi, come nell'esempio.
Alla fine nelle caselle grigie potrai leggere un proverbio italiano.

	spesso	S	O	T	T	I	L	E		S	T
luminoso										—	
antico										—	
rumoroso											—	
economico										—	
piccolo										—	
caldo										—	
largo										__'i m	
vuoto										__a	
bello											
nero										—	

11 Presente congiuntivo o indicativo?

Completa i dialoghi con i verbi al tempo giusto.

1. ■ Guarda che belle scarpe!

   ▼ Sì, sono belle, però non credo che (essere) _____ molto comode.

2. ■ Perché Marco non telefona più?

   ▼ Mah, credo che (avere) _____ molto da fare in ufficio.

3. ■ Che ne dici? Quest'anno per le vacanze facciamo uno scambio di case?

   ▼ Mah, non lo so, secondo me (essere) _____ un po' rischioso.

4. ■ Hai già telefonato per quell'appartamento?

   ▼ No, ancora no, ma spero che (essere) _____ ancora libero.

5. ■ Secondo te ce la fa Massimo a passare l'esame?

   ▼ Mah, a me non sembra che (fare) _____ molto per riuscirci!

6. ■ Secondo te con chi (venire) _____ Luciana alla festa?

   ▼ Mah, suppongo che (venire) _____ con il suo nuovo ragazzo.

7. ■ Che dici, che tempo farà in Irlanda?

   ▼ Mah, in aprile penso che (fare) _____ ancora freddo!

12 Che o di?

Completa le frasi con che *o di. Attenzione, a volte è necessario l'articolo determinativo.*

1. Credo che l'appartamento di Gianluca e Francesca sia un po' più grande _____ nostro.

2. Sì, lo so, c'è traffico, però io preferisco mille volte vivere in città _____ in campagna.

3. Credo che questo negozio sia molto più conveniente _____ quello che ci
   hanno consigliato i tuoi.

4. Mah, secondo me è sempre meglio vivere con altre persone _____ da soli!

5. Incredibile! Dentro fa più freddo _____ fuori!

6. Non so, l'altra stanza la trovo più accogliente _____ questa.

Esercizi

9

13 Cruciverba

Completa il cruciverba. Alla fine potrai leggere il nome della macchina che si usa per lavare i vestiti.

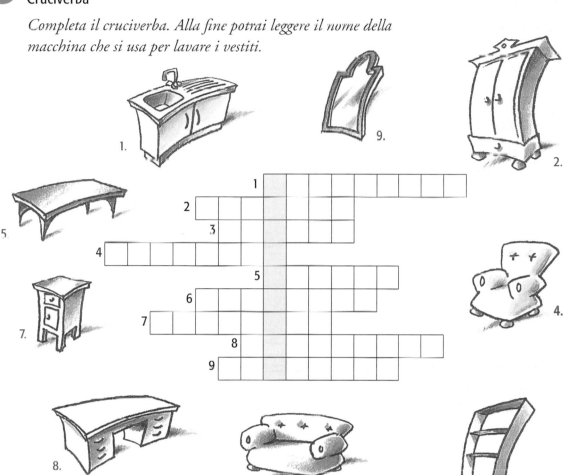

Infobox

Milano, vetrina mondiale dell'arredo. Nell'aprile 2001 ha avuto luogo, a Milano, la quarantesima edizione del Salone Internazionale del Mobile. La prima manifestazione è del 1961 e vi hanno partecipato 318 espositori. Nell'edizione 2001 sono arrivati oltre 2.000 espositori, di cui 635 stranieri da 35 Paesi. Personalizzazione e diversità sono le nuove parole d'ordine dell'arredo.
Tra i protagonisti dell'arredo all'italiana: il divano e le poltrone dai colori vivaci; il tavolo e le sedie fatti di materiali riciclati con accostamenti di legno e plastica.

---

14 Ricapitoliamo

Descrivi la tua casa. Com'è? Quante camere ci sono? Dove si trova?
Cosa è importante per te in una casa?

⟿ Consiglio

Ogni occasione è buona per parlare in italiano o ascoltare l'italiano.
Canta canzoni italiane che ascolti alla radio o prenota in italiano
in un locale italiano!

1 Mentre o durante?

Completa le frasi con mentre *o* durante.

1. _____ aspettavo l'autobus ho incontrato Cristina.

2. D'accordo, allora ti chiamo _____ la pausa.

3. Ho portato dei panini, così se _____ il viaggio abbiamo fame …

4. Guarda cosa ho trovato _____ mettevo in ordine la cantina!

2 La parola giusta

Completa le frasi con all'inizio, alla fine, finalmente.

1. Perché non vuoi più andare da Giulia e Massimo? Prima ci venivi così volentieri!

   Non lo so, _____ mi erano simpatici, ma ultimamente* sono

   cambiati e non mi ci trovo più tanto bene!

2. _____ il corso non mi piaceva molto, poi è arrivata una nuova

   insegnante e adesso mi piace tantissimo.

3. Allora, prima prepari la carne e poi _____ ci aggiungi del limone.

4. Che bello! _____ sabato partiamo per le vacanze!   * ultimamente = negli ultimi tempi

3 Riflettiamo

Metti le frasi sottolineate nella categoria giusta.

Ieri Gianni ha aspettato quasi per un'ora il suo amico Stefano.
Alla fine Stefano è arrivato e gli ha spiegato perché ha fatto tardi.
Stefano era in libreria e mentre leggeva, è entrata una ragazza.
La ragazza ha chiesto alla commessa lo stesso libro che leggeva lui.
All'inizio non l'ha riconosciuta, ma poi ha visto che anche lei lo guardava.

azione finita _____

_____

azione in corso _____

_____

azione che comincia mentre un'altra è ancora in corso _____

 4 Stavi per mangiare o stavi mangiando?

Guarda i disegni e completa le frasi con stare per + *infinito o* stare + *gerundio*

1. Renato _____ (fumare) una sigaretta, ma poi si è accorto che era vietato*.

2. Licia e Davide _____ (ballare) quando siamo arrivati.

3. La signora Carlini _____ (cenare) quando è squillato** il telefono.

4. Daniela _____ (leggere) quando sono entrato in cucina.

5. Riccardo _____ (suonare) il pianoforte quando sono andata a chiamarlo.

6. Gianni e Teresa _____ (uscire) quando Maria li ha chiamati.

* vietato = proibito   ** squillare = suonare

5 Che giornata!

Completa il dialogo con i verbi al tempo giusto.

■ Ah, finalmente, ma che fine (tu/fare) _____?

▼ Mi dispiace, scusami. (provare) _____ a chiamarti sul cellulare, ma (essere) _____ spento[1].

■ Sì, (lasciarlo) _____ a casa.

▼ Beh, guarda, scusami ancora, ma stamattina mi (succedere) _____ veramente di tutto!

■ Perché? Che ti (succedere) _____? Racconta!

▼ Beh, tanto per cominciare[2] (rovinare[3]) _____ una camicia nuova.

■ Come (fare) _____, scusa?

▼ E niente, mentre (stirare) _____, (squillare) _____ il telefono e ...

■ E (lasciare) _____ il ferro da stiro acceso ... bravo!

▼ Eh, ma non è tutto. Siccome (essere) _____ in ritardo, (decidere) _____ di prendere la macchina.

■ Ah, ah.

▼ E quando (arrivare) _____ in garage, (accorgersi) _____ di aver dimenticato le chiavi a casa.

■ Un po' distratto[4], eh!

▼ Molto distratto! Davanti alla porta di casa infatti, (accorgersi) _____ di non avere neanche quelle di casa.

■ Oh, no!

▼ Eh, sì. Per fortuna che la vicina ne ha un paio.

■ Beh, meno male[5] ...

▼ Sì, peccato però che non (esserci) _____!

[1] spento = chiuso, non attivo
[2] tanto per cominciare = innanzitutto, per prima cosa
[3] rovinare = danneggiare
[4] distratto = poco attento
[5] meno male = per fortuna

6 Raccontare

Collega le frasi di sinistra con quelle di destra.

1. La sai l'ultima?
2. Franco e Paola si sono lasciati di nuovo.
3. Non ti immagini cosa mi è successo stamattina!
4. Eh, niente così abbiamo cominciato a parlare.

a. Cosa ti è successo, sentiamo!
b. E poi?
c. Sul serio?
d. No, dimmi!

7 Che cosa si dice nel testo?

Rileggi il testo a pag. 113 e decidi se le affermazioni sono vere o false.

1. Il protagonista
   a. si è appena laureato. ☐
   b. non viaggia mai in metropolitana. ☐
   c. legge mentre fa la fila. ☐
   d. si stupisce* che ci siano due McDonald's sulla stessa piazza. ☐
   e. ordina subito le patatine. ☐
   f. mangia sempre le patatine con la maionese. ☐

2. La ragazza
   a. si chiama Anna. ☐
   b. si dimentica di dare lo scontrino al ragazzo. ☐
   c. ha gli occhi grandi. ☐
   d. propone al ragazzo di aspettarla dopo il lavoro. ☐

* stupirsi = sorprendersi

Esercizi

10

Infobox

Matrimonio? No grazie! Da recenti indagini risulta che gli italiani oggi non ci pensano proprio a sposarsi. Infatti, dopo fidanzamenti lunghissimi, specialmente a causa della maggiore durata degli studi, le coppie decidono di convivere. Chi si sposa, lo fa comunque dopo un periodo di convivenza, a volte anche lungo. E quali sono i luoghi di incontro delle future coppie? Nella maggior parte dei casi l'incontro avviene alle feste, in discoteca e nei luoghi di vacanza. Nel Sud, invece, ci si conosce a casa di parenti o amici oppure per strada.

8 Passato prossimo o imperfetto?

Metti i verbi al tempo giusto. I verbi sono in ordine.

venire   andare   scendere   essere   leggere   pensare   arrivare   esserci

riuscire   volere   nevicare   arrivare   guardare   dire   dire

sorridere   correggere   dire   riuscire

Così stavo andando in metropolitana mi _____ fame _____ da
McDonald's a mangiare un McBacon _____ in piazza Cordusio.
Tutti i McDonald's del mondo sono uguali ma quello di Piazza Cordusio è l'unico in cui
che io sappia sedendoti se guardi fuori c'è McDonald's.
_____ in coda e _____, _____ è proprio strano questo.
Quando _____ alla cassa, _____ una ragazza. Non
_____ più a capire che panino _____ ero in Piazza Cordusio in
uno dei due McDonald's _____ la sera del giorno della mia laurea con
l'intenzione di mangiare un McBacon _____ il mio turno alla cassa
numero 3.(...)
Lei mi _____ mi _____ ciao io le _____
un Kingbacon una Coca lei _____ mi _____
_____ McBacon io non _____ a staccare gli occhi dai
suoi.

Infobox

Vuoi chattare con me? Recentemente, uno studio ha evidenziato che
specialmente i bambini passano molto tempo, la sera, a navigare su
Internet e a cercare nuovi amici in Rete. Il 40 per cento non racconta ai
genitori cosa vede o con chi comunica su Internet. Inoltre cresce la
tendenza a chattare con chiunque e non solo con i coetanei. Moltissimi
desidererebbero addirittura incontrare le persone conosciute in Rete.

Esercizi

10

9 Ho dovuto ..., non ho potuto ...

Collega le frasi di sinistra con quelle di destra e metti i verbi al tempo giusto.

1. Mi dispiace per ieri sera,

2. Scusami per il ritardo,

3. Io e mio marito stasera siamo soli,

4. Ho mal di schiena perché questa settimana

5. Luca è rimasto in ufficio fino alle 23.00, così

a. ma stamattina (dovere) _____ accompagnare mia sorella all'aeroporto.

b. non (potere) _____ venire alla festa.

c. non (potere) _____ fare yoga.

d. i bambini (volere) _____ rimanere con i nonni.

e. ma purtroppo all'ultimo momento (dovere) _____ andare a cena con la famiglia di mia moglie.

10 Una e-mail

Completa la lettera con i verbi al tempo giusto.

Carissima,

scusami se non ti ho più richiamato, ma (dovere) _____ andare a scuola a prendere Tommaso perché purtroppo si è sentito male. Comunque niente di serio, era solo un mal di pancia. La cosa, tra l'altro, non mi sorprende visto che ieri (volere) _____ andare al fast food (ha mangiato tre cheeseburger!). Adesso finalmente dorme, così ho un po' di tempo per me. Queste ultime settimane sono state veramente faticose, la mia collega si è ammalata e io (dovere) _____ sostituirla per una settimana, così oltre al mio lavoro (dovere) _____ fare anche il suo. Pensa che ho avuto così tanto da fare che non (potere) _____ andare neanche a fare la spesa, (dovere) _____ andarci mia madre. Comunque dalla prossima settimana sono in vacanza così ci possiamo finalmente vedere.

Ti abbraccio
Stefania

Se ti piace ascoltare musica italiana, cerca di imparare a memoria qualche frase o tutta una canzone.

11 Mi dà fastidio ...

Completa i dialoghi con i verbi all'indicativo o al congiuntivo.

1. ■ Non sopporto quando la gente (arrivare) _____ tardi.

   ▼ Neanche io! Ma mi dà ancora più fastidio che la gente che arriva tardi spesso non (chiedere) _____ neanche scusa!

2. ■ Mio marito non sopporta che si (mangiare) _____ al cinema.

   ▼ Beh, ha ragione. A me però dà ancora più fastidio quando la gente (chiacchierare) _____.

3. ■ Senti, lo sai che mi dà fastidio che si (fumare) _____ in camera da letto! Perché non vai sul balcone?

   ▼ Sì, scusa, hai ragione.

4. ■ Non sopporto che mia madre a 33 anni mi (chiamare) _____ ancora «piccola»!

   ▼ A me invece dà fastidio che mi (domandare) _____ ancora se ho mangiato tutto!

12 Ricapitoliamo

Cosa fai quando vuoi conoscere persone nuove? Come hai conosciuto il tuo partner o il tuo migliore amico/la tua migliore amica?

GRAMMATICA

Indice

G

G

Questo sommario di grammatica offre una visione d'insieme di tutte le nozioni grammaticali trattate nel manuale **Espresso 2**. Non si tratta comunque di un compendio completo.

Esso va infatti inteso come libro di consultazione per chiarimenti. Si consideri anche che alla fine di ogni lezione è presente una pagina di riepilogo grammaticale.

Lista dei termini grammaticali

Accusativo
Aggettivo
Articolo
    determinativo/indeterminativo
Aggettivi/pronomi possessivi
Articolo partitivo
Ausiliare
Avverbio
Comparativo
Complemento
Condizionale
Congiuntivo
Congiunzione
Coniugazione
Dativo
Femminile
Futuro semplice
Imperativo
Imperfetto
Indicativo
Infinito
Maschile
Negazione
Nome
Particella
Participio
Passato prossimo
Plurale
Preposizione
Presente
Pronome personale
Pronome personale complemento
    diretto/indiretto
Pronome/aggettivo dimostrativo
Pronome/aggettivo indefinito
Pronome/aggettivo interrogativo
Riflessivo
Singolare
Soggetto
Sostantivo
Superlativo
    assoluto/relativo
Verbo
Verbo modale

G

L'aggettivo

In italiano di solito l'aggettivo segue il nome (vedi *Espresso 1).*). Gli aggettivi brevi o molto usati precedono quasi sempre il nome. Se però sono accompagnati da un'altra parola che li definisce meglio, allora seguono il nome: per es. l'aggettivo **bello.**

La casa è **tranquilla.**
È una **bella** casa.
La casa è molto **bella.**

Quando l'aggettivo **bello** precede un nome si comporta come un articolo determinativo.

bel ragazzo	**bei** ragazzi
bella ragazza	**belle** ragazze
bell'uomo	**begli** uomini
bello spettacolo	**begli** spettacoli

Il grado dell'aggettivo

Il comparativo

Il comparativo si forma con *più/meno* + aggettivo (vedi *Espresso 1).*

Marco è **più** magro **di** Bruno/**di** me.
Fa **più** freddo dentro **che** fuori.

Se il secondo termine di paragone è un nome o un pronome, è introdotto da **di.**
Se il secondo termine di paragone è un verbo, un aggettivo, una preposizione o un avverbio, è introdotto da **che.**

quanto/come

Carla è simpatica **come** Lucia.
Luigi è alto **quanto** me.

La forma **come** è più usata.

Il superlativo relativo

Ci sono due forme per il superlativo: il superlativo assoluto (vedi *Espresso 1)*) e il superlativo relativo.

Superlativo assoluto:

Ho letto un libro **interessantissimo.**
Ho letto un libro **molto interessante.**

Il superlativo relativo esprime il grado più alto di una qualità.
Si forma con: articolo + nome + *più* o *meno* + aggettivo.

Sono **le scarpe più vecchie** che ho!
È **il ristorante meno caro** della città.

Comparativi e superlativi irregolari

Alcuni aggettivi e alcuni avverbi al comparativo e al superlativo
hanno sia forme regolari che irregolari.

Lez. 7

buono	più buono/migliore	buonissimo/ottimo
bene	meglio	benissimo

I possessivi

Gli aggettivi possessivi concordano in genere e numero con i nomi cui si riferiscono.

singolare		plurale	
il mio		i miei	
il tuo		i tuoi	
il suo	libro	i suoi	amici
il Suo		i Suoi	
il nostro		i nostri	
il vostro		i vostri	
il loro		i loro	

singolare		plurale	
la mia		le mie	
la tua		le tue	
la sua	camera	le sue	amiche
la Sua		le Sue	
la nostra		le nostre	
la vostra		le vostre	
la loro		le loro	

Suo significa sia "di lui" che "di lei" e concorda con il nome che accompagna, non con la persona.
È lo stesso anche per **suoi, sue** ecc.

Lez. 1

Marta viene con **il suo** amico tedesco.
Enrico viene con **il suo** amico italiano.

Suo (maiuscolo) si usa per la forma di cortesia.

Scusi, questo è il **Suo** giornale?

Loro è plurale e si riferisce perciò a più persone.

Sandro e Maria hanno una macchina.
La **loro** macchina è nuova.

Gli aggettivi possessivi sono preceduti di solito dall'articolo determinativo.
Con i nomi di famiglia al singolare non si usa l'articolo determinativo
(*madre, padre, fratello, sorella* ecc.): **mio** fratello, **tua** madre

Eccezioni:

- al plurale:
  i miei fratelli

- con i vezzeggiativi (nomi affettuosi):
  la mia sorell**ina**

- con un altro aggettivo:
  il mio caro fratello

Loro è sempre accompagnato dall'articolo:
  il loro fratello

I pronomi

Posizione dei pronomi diretti con l'infinito

Lez. 4

I pronomi personali complemento (diretti e indiretti) e le particelle pronominali pronominali **ne** e **ci**
di solito precedono il verbo (vedi *Espresso 1)*.
Con un verbo all'infinito, i pronomi possono anche essere uniti ad esso.
In questo caso l'infinito perde la vocale finale.

| Non **lo** posso chiamare. | o | Non posso chiamar**lo**. |
| **Ci** puoi andare a piedi. | o | Puoi andar**ci** a piedi. |

I pronomi personali complemento con *avere*

Lez. 4

Se i pronomi *lo, la, li* o *le,* precedono il verbo *avere* in funzione di verbo principale,
si usa prima dei pronomi la particella **ci**. In questo caso la *-i* diventa *-e.*

| Hai tu i biglietti? | No, **ce li** ha Valerio. |
| Chi ha il cellulare? | **Ce** l'ho io!. |

Verbi con l'oggetto diretto o indiretto

Lez. 8

Con i pronomi si distingue tra pronome diretto (complemento oggetto)
e pronome indiretto (complemento di termine).
I pronomi diretti sostituiscono complementi che seguono direttamente il verbo:

| Conosci Paolo? | Sì, **lo** conosco. |
| Hai visto Laura? | Sì, **l'**ho vista ieri. |

Con i pronomi diretti la vocale finale del participio concorda in genere e numero con il complemento.

I pronomi indiretti invece sostituiscono complementi che non seguono direttamente il verbo, perché tra il verbo e il complemento c'è una preposizione:

Scrivi tu **a Marco**? Sì, **gli** scrivo io.
Hai telefonato **a Luisa**? Sì, **le** ho telefonato.

Con i pronomi indiretti non c'è concordanza del participio.

Verbi seguiti da complemento diretto	
aiutare	Io **lo** aiuto.
ascoltare	Non **la** ascolto.
ringraziare	**La** ringrazio.
seguire	Presto, **li** segua!

Verbi seguiti da complemento indiretto	
chiedere a	Non **gli** chiedo niente.
domandare a	Io **le** domando se viene.
telefonare a	**Le** telefono domani.

Le particelle pronominali *ne* e *ci*

Oltre a sostituire la quantità di una cosa nominata in precedenza (vedi *Espresso 1*) la particella pronominale **ne** sostituisce complementi introdotti dalla preposizione *di*.

Lez. 2·8

Parla tutto il tempo **di sport**.
Ne parla tutto il tempo.

Ci può sostituire complementi introdotti dalla preposizione *a*.

Penso spesso **alla mia infanzia**.
Ci penso spesso.

(Per gli altri usi di *ci* vedi *Espresso 1*.)

I pronomi relativi *che* e *cui*

Lez. 4

Il pronome relativo **che** si usa come soggetto o complemento diretto senza preposizione.

Il ragazzo **che** canta ...
Il ragazzo **che** ho conosciuto ieri ....

Dopo una preposizione si usa sempre **cui**.

Il libro **di cui** ti ho parlato ...
La casa **in cui** abito ...

che e **cui** sono invariabili e si usano sia per le persone che per le cose.

Gli indefiniti

Lez. 3·5

I pronomi indefiniti completano (funzione aggettivale) o sostituiscono (funzione pronominale) nomi, che chi parla non può o non vuole definire meglio (vedi *Espresso 1*).

nessuno/-a

Nessuno può avere funzione di aggettivo o di pronome.

Funzione aggettivale (accompagna un nome):

Non ho **nessuna** voglia di andare al cinema.
Non ho **nessun** programma per domani.

Quando **nessuno** precede un nome, si comporta come un articolo indeterminativo.

Funzione pronominale (sostituisce un nome):

Non è arrivato **nessuno**.
Delle ragazze non ne ho sentita **nessuna**.
Nessuno vuole venire.

Quando **nessuno/-a** si trova all'inizio di una frase, non è necessaria la doppia negazione.

qualcuno/-a

Qualcuno ha solo funzione di pronome.

Ti viene in mente **qualcuno**?
Conosci **qualcuna** delle sue amiche?

Il verbo

Il verbo *sapere*

Il verbo **sapere** ha anche il significato di "potere" e "essere capace".

So suonare il violino.

Lez. 3

Il passato prossimo dei verbi riflessivi

Il passato prossimo dei verbi riflessivi si forma con l'ausiliare *essere*.
Il participio concorda quindi in genere e numero con il soggetto.

Lez. 1

(io)	mi sono	
(tu)	ti sei	trasferit**o**/trasferit**a**
(lui, lei, Lei)	si è	
(noi)	ci siamo	
(voi)	vi siete	trasferit**i**/trasferit**e**
(loro)	si sono	

G

Il passato prossimo dei verbi modali

I verbi modali **dovere, potere, volere** formano il passato prossimo sia con *avere* che con *essere*

Lez. 10

Se il verbo modale è seguito da un verbo che forma il passato prossimo con l'ausiliare *avere* allora anche il passato prossimo del verbo modale si forma con *avere*. Se il verbo che segue forma il passato prossimo con *essere* allora anche il passato prossimo del verbo modale si forma con *essere*.

Flavia **ha voluto** *mangiare* con i nonni.
Flavia è **voluta** *restare* dai nonni.

Con i verbi riflessivi si può usare sia *essere* che *avere*.
Si usa *essere* quando il pronome riflessivo precede il verbo,
si usa *avere* quando il pronome riflessivo si unisce all'infinito.

alzarsi
Danila **si è dovuta alzare** presto.
Marco **ha dovuto alzarsi** presto.

La concordanza del participio passato con il pronome diretto

Quando nel passato prossimo si usa *avere*, il participio è invariabile. Se però il verbo al passato prossimo è preceduto dai pronomi diretti *lo, la, li* e *le*, il participio concorda in genere e numero con i pronomi.

Lez. 4

Hai visto **il film**?	Sì, l'ho vis**to**. (il film)
Ha chiuso **la finestra**?	Sì, l'ho chius**a**. (la finestra)
Hai chiamato **i ragazzi**?	Sì, **li** ho chiamat**i**. (i ragazzi)
Ha spedito **le lettere**?	No, non **le** ho ancora spedit**e**. (le lettere)

Solo i pronomi diretti al singolare si apostrofano.

Se il verbo al passato prossimo è preceduto da **ne** in funzione partitiva, il participio concorda con la parola alla quale si riferisce la particella **ne**.

Di panini **ne** ho mangiat**i** *tre*.
Di cassette **ne** ho portat**a** solo *una*.

Gli ausiliari

Per alcuni verbi è difficile capire quale ausiliare usare al passato prossimo.
Ecco una piccola lista di verbi "problematici":

Lez. 3

ausiliare *avere*	ausiliare *essere*
camminare	durare
sciare	piacere
viaggiare	

Altri verbi formano il passato prossimo sia con *avere* che con *essere* a seconda che abbiano uso transitivo o intransitivo.

cominciare:	**Ho cominciato** a studiare.
	Il corso è **cominciato** lunedì.
finire:	**Ho finito** di leggere il libro.
	Il concerto è **finito** tardi.

È così anche per *cambiare, salire, scendere* e *correre*.

G

L'imperfetto

Verbi regolari

parlare	vivere	dormire
parlavo	vivevo	dormivo
parlavi	vivevi	dormivi
parlava	viveva	dormiva
parlavamo	vivevamo	dormivamo
parlavate	vivevate	dormivate
parlavano	vivevano	dormivano

Verbi irregolari

essere	avere	fare	bere	dire
ero	avevo	facevo	bevevo	dicevo
eri	avevi	facevi	bevevi	dicevi
era	aveva	faceva	beveva	diceva
eravamo	avevamo	facevamo	bevevamo	dicevamo
eravate	avevate	facevate	bevevate	dicevate
erano	avevano	facevano	bevevano	dicevano

Lez. 2

Uso dell'imperfetto

L'imperfetto si usa

* per raccontare azioni abituali nel passato:

Da bambina **andavo** spesso in montagna.

* per descrivere le caratteristiche di persone, oggetti e situazioni:

Mia nonna **era** molto bella.
In treno **faceva** caldo.
Alla festa c'**era** molta gente.

Uso del passato prossimo e dell'imperfetto

Il passato prossimo si usa per esprimere un'azione del passato che si è conclusa.

Ieri sera **siamo andati** al cinema.

Con l'imperfetto si esprime invece un'azione del passato con una durata indeterminata.

I miei nonni **abitavano** in campagna.

Lez. 2·5·10

Il passato prossimo esprime un'azione che è accaduta una sola volta,
l'imperfetto descrive invece un'azione abituale o un'azione che si ripete regolarmente.

Una volta **siamo usciti**.
Normalmente **restavamo** a casa.

L'imperfetto si usa spesso con le seguenti locuzioni temporali:

normalmente
Normalmente andavo al mare.

di solito
Di solito la sera andavamo a ballare.

G

da bambino/-a

Da bambina leggevo tantissimo.

da piccolo/-a

Da piccolo avevo un cane.

Quando si raccontano più azioni passate si usa

- il passato prossimo per parlare di eventi che sono accaduti uno dopo l'altro:

Sono uscito di casa, **ho comprato** un giornale e **sono andato** al bar.

- l'imperfetto per parlare di una serie di eventi accaduti contemporaneamente
  e dalla durata indefinita:

Mentre **guidavo,** lui **controllava** la cartina.

Se la prima azione non si è ancora conclusa quando una seconda azione comincia,
si usa l'imperfetto per l'azione continua e il passato prossimo per la nuova azione che comincia.

Mentre **leggevo, è entrata** una ragazza.

Uso del verbo *volere* all'imperfetto

Il verbo **volere** all'imperfetto si usa per

- chiedere qualcosa in modo gentile:

Volevo chiederLe una cortesia.

- esprimere un'intenzione o un desiderio:

Lez. 5   Stasera **volevamo** andare a trovare Pino.

I verbi *sapere* e *conoscere*

I verbi **sapere** e **conoscere** hanno due significati diversi al passato prossimo e all'imperfetto.

Ho saputo che ti sposi.	(venire a sapere qualcosa da qualcuno)
Non **sapevo** che hai due bambini.	(sapere qualcosa da molto tempo)
L'**ho conosciuto** ieri.	(fare la conoscenza, incontrare qualcuno per la prima volta)
La **conoscevo** già.	(conoscere qualcuno o qualcosa da molto tempo)

Lez. 5

Il condizionale semplice

Verbi regolari

Verbi irregolari

Lez. 3

parlare	vendere	dormire	preferire
parl**erei**	vend**erei**	dorm**irei**	prefer**irei**
parl**eresti**	vend**eresti**	dorm**iresti**	prefer**iresti**
parl**erebbe**	vend**erebbe**	dorm**irebbe**	prefer**irebbe**
parl**eremmo**	vend**eremmo**	dorm**iremmo**	prefer**iremmo**
parl**ereste**	vend**ereste**	dorm**ireste**	prefer**ireste**
parl**erebbero**	vend**erebbero**	dorm**irebbero**	prefer**irebbero**

essere
sarei
saresti
sarebbe
saremmo
sareste
sarebbero

Nei verbi in *-are* la *-a* dell'infinito diventa *-e*: abitare ⟶ abiterei

Fanno eccezione i seguenti verbi: dare ⟶ darei, fare ⟶ farei, stare ⟶ starei

Nei verbi in *-care* e *-gare* si mette una *-h-* prima della desinenza: cercare ⟶ cercherei

I verbi in *-ciare* e *-giare* perdono la *-i*:
mangiare ⟶ mangerei, cominciare ⟶ comincerei

Alcuni verbi perdono la *-e* della desinenza dell'infinito:

avere	⟶	avrei, avresti, avrebbe, avremmo, avreste, avrebbero
andare	⟶	andrei, andresti, andrebbe, andremmo, andreste, andrebbero
dovere	⟶	dovrei, dovresti, dovrebbe, dovremmo, dovreste, dovrebbero
potere	⟶	potrei, potresti, potrebbe, potremmo, potreste, potrebbero
sapere	⟶	saprei, sapresti, saprebbe, sapremmo, sapreste, saprebbero
vedere	⟶	vedrei, vedresti, vedrebbe, vedremmo, vedreste, vedrebbero
vivere	⟶	vivrei, vivresti, vivrebbe, vivremmo, vivreste, vivrebbero

Alcuni verbi perdono la *-e* della desinenza dell'infinito e l'ultima consonante della radice diventa *-r*:

rimanere	⟶	rimarrei, rimarresti, rimarrebbe, rimarremmo, rimarreste, rimarrebbero
tenere	⟶	terrei, terresti, terrebbe, terremmo, terreste, terrebbero
venire	⟶	verrei, verresti, verrebbe, verremmo, verreste, verrebbero
volere	⟶	vorrei, vorresti, vorrebbe, vorremmo, vorreste, vorrebbero

Uso del condizionale

Il condizionale si usa

- per esprimere una possibilità o una supposizione:
  Pensi che **verrebbe** con noi?

- per esprimere un desiderio:
  Vorrei fare un corso di spagnolo.

- per chiedere qualcosa in modo gentile:
  Mi **darebbe** una mano?

- per dare un consiglio:
  Dovrebbe fumare meno.

- per fare una proposta:
  Potremmo andare al cinema!

L'imperativo

Verbi regolari

Lez. 6·7

	lavor**are**	prend**ere**	dorm**ire**	fin**ire**
tu	lavor**a**	prend**i**	dorm**i**	fin**isci**
Lei	lavor**i**	prend**a**	dorm**a**	fin**isca**
voi	lavor**ate**	prend**ete**	dorm**ite**	fin**ite**

Verbi con forme irregolari o abbreviate

	andare	avere	dare	dire	essere
tu	va'/vai	abbi	da'/dai	di'	sii
Lei	vada	abbia	dia	dica	sia
voi	andate	abbiate	date	dite	siate
	fare	sapere	stare	tenere	venire
tu	fa'/fai	sappi	sta'/stai	tieni	vieni
Lei	faccia	sappia	stia	tenga	venga
voi	fate	sappiate	state	tenete	venite

Alcuni verbi hanno due forme alla 2ª persona singolare.

Posizione dei pronomi nell'imperativo

I pronomi e le particelle pronominali **ne** e **ci** si uniscono alla
2ª persona singolare (tu) e plurale (voi) dell'imperativo.

Prendi**lo**, se vuoi!
Alzate**vi**!
Compra**ne** due!

Con i pronomi diretti e indiretti (tranne **gli**) e con le particelle **ci** e **ne** i verbi
andare, **dare**, **dire**, **fare** e **stare** raddoppiano la consonante.

andare	→	va'	In ufficio **vacci** a piedi!
dare	→	da'	Il giornale **dallo** a Piero!
dire	→	di'	**Digli** la verità!
fare	→	fa'	**Fammi** un favore!
stare	→	sta'	**Stammi** bene!

Alla 3ª persona singolare (Lei) dell'imperativo i pronomi **ci** e **ne** precedono il verbo.

Ci vada subito!
Si accomodi!
Ne prenda ancora uno!

L'imperativo negativo

L'imperativo negativo della 2ª persona singolare (tu) si forma con *non* + l'infinito del verbo.

Non mangiare troppo!

I pronomi possono andare prima o essere uniti all'infinito.

Non **ti** alzare tardi!
Non alzar**ti** tardi!

L'imperativo negativo della 3ª persona singolare (Lei) e della 2ª persona plurale (voi)
si forma con *non* + l'imperativo.

Non prenda troppo sole!
Non bevete troppo!

Nella 3ª persona singolare (Lei) la posizione dei pronomi è tra *non* e il verbo.

Non **lo** beva tutto!

Nella 2ª persona plurale (voi) i pronomi possono precedere *non*
o essere uniti all'imperativo.

Non **lo** bevete tutto!
Non bevete**lo** tutto!

Il futuro semplice

Verbi regolari

abit**are**	vend**ere**	part**ire**	sped**ire**
abit**erò**	vend**erò**	part**irò**	sped**irò**
abit**erai**	vend**erai**	part**irai**	sped**irai**
abit**erà**	vend**erà**	part**irà**	sped**irà**
abit**eremo**	vend**eremo**	part**iremo**	sped**iremo**
abit**erete**	vend**erete**	part**irete**	sped**irete**
abit**eranno**	vend**eranno**	part**iranno**	sped**iranno**

Verbi irregolari

essere
sarò
sarai
sarà
saremo
sarete
saranno

Le desinenze del futuro semplice sono uguali per tutte le coniugazioni.

Nei verbi in *-a* la *-a* della desinenza diventa *-e*. Fanno eccezione i seguenti verbi:

dare ⟶ darò   fare ⟶ farò   stare ⟶ starò

Nei verbi in *-care* e *-gare* si inserisce una *-h*: giocare ⟶ gio**ch**erò

I verbi in *-ciare* e *-giare* perdono la *-i*: mangiare ⟶ mangerò

Alcuni verbi perdono la vocale della desinenza dell'infinito:

avere ⟶ avrò, avrai, avrà, avremo, avrete, avranno

Così anche:

andare	⟶	andrò	sapere ⟶	saprò
dovere	⟶	dovrò	vedere ⟶	vedrò
potere	⟶	potrò	vivere ⟶	vivrò

Alcuni verbi (soprattutto quelli in *-ere* e *-ire*) perdono la vocale della desinenza dell'infinito e trasformano l'ultima consonante della radice in *–r*:

rimanere ⟶ rimarrò, rimarrai, rimarrà, rimarremo, rimarrete, rimarranno

Così anche:

bere	⟶	berrò	venire ⟶	verrò
tenere	⟶	terrò	volere ⟶	vorrò

Uso del futuro

Il futuro si usa

* per descrivere eventi che accadranno nel futuro:
  Domenica **andremo** al mare.

- per fare delle supposizioni:
  Che dici? Questo pesce **sarà** fresco?

Per il futuro si usano le seguenti locuzioni temporali:

fra/tra

Fra/tra due mesi mi sposerò.

quando

Quando avrò 60 anni ritornerò in Italia.

prima o poi

Prima o poi passerai l'esame.

Il congiuntivo presente

Verbi regolari

Lez. 9

lavor**are**	prend**ere**	dorm**ire**	cap**ire**
lavor**i**	prend**a**	dorm**a**	cap**isca**
lavor**i**	prend**a**	dorm**a**	cap**isca**
lavor**i**	prend**a**	dorm**a**	cap**isca**
lavor**iamo**	prend**iamo**	dorm**iamo**	cap**iamo**
lavor**iate**	prend**iate**	dorm**iate**	cap**iate**
lavor**ino**	prend**ano**	dorm**ano**	cap**iscano**

Le prime tre persone singolari sono uguali. Per questo, per poter distinguere le forme,
spesso si aggiungono i **pronomi personali soggetto**
La 1ª persona plurale (*noi*) è uguale alla forma del presente indicativo.
I verbi in -*care* e -*gare* hanno una -*h* davanti alla desinenza del congiuntivo:
cercare ⟶ cer**chi**

Verbi irregolari

	io, tu, lui, lei, Lei	noi	voi	loro
andare	**vada**	andiamo	andiate	**vadano**
fare	**faccia**	facciamo	facciate	**facciano**
uscire	**esca**	usciamo	usciate	**escano**
venire	**venga**	veniamo	veniate	**vengano**
volere	**voglia**	vogliamo	vogliate	**vogliano**

A parte poche eccezioni, le forme del singolare e della 3ª persona plurale derivano dalla 1ª persona singolare del presente indicativo. In questo caso la -o diventa -a:

andare —► vado —► vada/vadano

I verbi *essere* e *avere* si comportano in modo diverso:

	io, tu, lui, lei, Lei	noi	voi	loro
essere	sia	siamo	siate	siano
avere	abbia	abbiamo	abbiate	abbiano

Uso del congiuntivo

Il congiuntivo si usa soprattutto per esprimere la posizione soggettiva di chi parla rispetto a certi eventi o circostanze.

Il congiuntivo si usa spesso in frasi secondarie introdotte da *che* se il soggetto della frase secondaria non è lo stesso della principale.

Il congiuntivo si usa dopo le seguenti espressioni:

• Verbi e forme con cui si esprime un'opinione personale

Credo che
Penso che   lui non **sia** italiano.
Suppongo che

Dopo le seguenti espressioni si usa però l'indicativo e non il congiuntivo:
Secondo me
Per me   lui **è** straniero.
Sono sicuro che

• Verbi ed espressioni che indicano incertezza e dubbio
  Mi sembra che
  Non sono sicuro che   **parli** anche lo spagnolo.

• Verbi ed espressioni che indicano speranza
  Spero che   Mario non **faccia** tardi anche oggi.

Il congiuntivo si usa anche insieme alle seguenti espressioni impersonali:
È necessario che
È importante che   Luisa **arrivi** a casa prima delle 20.00.
È fondamentale che

Il gerundio

Il gerundio si forma aggiungendo alla radice del verbo la desinenza *-ando* (verbi in *-are*) e *-endo* (verbi in *-ere* e *-ire*).

Lez. 4

mangiare ⟶ mangi**ando**   leggere ⟶ legg**endo**   dormire ⟶ dorm**endo**

Eccezioni:
bere ⟶ **bevendo**   dire ⟶ **dicendo**   fare ⟶ **facendo**

stare + gerundio

Teresa **sta dormendo.**
I bambini **stanno facendo** i compiti.

Con **stare** + gerundio si esprime un'azione in corso.
Il verbo *stare* si coniuga, il gerundio rimane invariato.

Il periodo ipotetico con il gerundio

Il gerundio può essere usato per esprimere una condizione:
Comprando qualche mobile la casa diventerebbe più accogliente.

Lez. 9

stare per + *infinito*

Con **stare per** + infinito si esprime il momento prima dell'inizio di un'azione nel presente e nel passato.
Stavamo per uscire, ma poi Gianni si è sentito male.

Lez. 10

Verbi impersonali

bisogna

Bisogna comprare il biglietto prima di salire sull'autobus.

Con **bisogna** + infinito si esprime una necessità. **Bisogna** in questo caso è invariabile.

Lez. 5·8

volerci

Ci vuole il passaporto.
Ci vogliono circa due ore.

Il verbo **volerci** cambia a seconda che il complemento oggetto sia al singolare o al plurale.

Il verbo *servire*

Non ti **serve** aspettare.
Mi **serve** un cappotto nuovo.   (singolare)
Mi **servono** tre uova.   (plurale)

Lez. 6

Quando il verbo **servire** (quasi sempre nella forma negativa) è seguito da un verbo,
il verbo è all'infinito. Quando il verbo **servire** è seguito da un nome, il verbo dipende dal nome
(singolare o plurale).

Verbi con pronomi

farcela		
	presente	passato prossimo
io	ce la faccio	ce l'ho fatta
tu	ce la fai	ce l'hai fatta
lui, lei, Lei	ce la fa	ce l'ha fatta
noi	ce la facciamo	ce l'abbiamo fatta
voi	ce la fate	ce l'avete fatta
loro	ce la fanno	ce l'hanno fatta

Lez. 3

Dopo **farcela** si usa la preposizione *a* + infinito.

Ce la fai ad aprire questa finestra?
Non **ce l'ha fatta** ad arrivare in tempo.

andarsene		
io	me ne vado	me ne sono andato/-a
tu	te ne vai	te ne sei andato/-a
lui, lei, Lei	se ne va	se ne è andato/-a
noi	ce ne andiamo	ce ne siamo andati/-e
voi	ve ne andate	ve ne siete andati/-e
loro	se ne vanno	se ne sono andati/-e

Il periodo ipotetico (vedi anche il gerundio)

Il periodo ipotetico della realtà

Lez. 8

Si parla di periodo ipotetico della realtà quando la condizione (introdotta da *se*) si ritiene realizzabile. In questo caso sia la condizione che la conseguenza si esprimono al presente o al futuro.

Se **arrivo** tardi   ti **chiamo**.
Se non **verrai** alla festa,   non **verrà** neanche Franco.

Se si tratta di una promessa, allora la conseguenza si esprime con il futuro.

Se **aprirò** uno studio   **prenderò** te come socio.

La conseguenza può anche essere espressa con l'imperativo o con il condizionale.

Se **vedi** Teresa   **dille** di portarmi il libro.
Se **ha** un attimo di tempo, Le **vorrei** domandare una cosa.

Le congiunzioni

Le congiunzioni collegano due parti di una frase o due frasi tra loro
(vedi *Espresso 1*).

Alcune congiunzioni sono utili per capire quale passato usare.

mentre

Lez. 2·5
10

Con la congiunzione **mentre** di solito si usa l'imperfetto.

Mentre studiavo ascoltavo la musica.
L'ho incontrato **mentre** tornavo a casa.

quando

Dopo la congiunzione **quando** si può usare sia il passato prossimo
che l'imperfetto.

quando + *passato prossimo* un'azione che comincia mentre un'altra azione è ancora in corso
         o una precisa azione nel passato

Stavo leggendo **quando** *è entrata*.
Quando *si è sposato* aveva solo 23 anni.

quando + *imperfetto*   un'azione di una certa durata nel passato

Quando *abitavo* in città non uscivo mai fuori a giocare.

Altre congiunzioni

perché – siccome

Con **perché** e **siccome** si esprime una causa.

L'uso di **perché** e **siccome** dipende dalla struttura della frase.

Se la frase principale è all'inizio, la frase secondaria causale è introdotta da **perché**.

Siamo rimasti a casa **perché** pioveva.

Se la frase causale è all'inizio, è introdotta da **siccome**.

Siccome pioveva siamo rimasti a casa.

Lez. 1

Gli avverbi di tempo

già
Ho **già** fatto la spesa.

non ancora
Non ho **ancora** telefonato al medico./**Non** ho telefonato **ancora** al medico.

Lez. 4

Già e **ancora** possono essere inseriti tra l'ausiliare e il participio passato o possono essere messi dopo il participio passato.

Altre locuzioni di tempo

all'inizio
All'inizio non mi ha riconosciuto.

Lez. 10

alla fine
Alla fine siamo andati a bere qualcosa.

fino a
Lavoro **fino alle** 15.00.

Appendice – Lista dei verbi irregolari

infinito	presente	imperfetto	passato prossimo	imperativo	condizionale	futuro	congiuntivo
andare	vado, vai	andavo	sono andato	va', vada	andrei	andrò	vada, andiamo, andiate, vadano,
avere	ho, hai	avevo	ho avuto	abbi, abbia, abbiate	avrei	avrò	abbia
bere	bevo, bevi	bevevo	ho bevuto	bevi, beva	berrei	berrò	beva
dare	do, dai	davo	ho dato	da', dia	darei	darò	dia
dire	dico, dici	dicevo	ho detto	di', dica	direi	dirò	dica
dovere	devo, devi	dovevo	ho/sono dovuto		dovrei	dovrò	debba, dobbiamo dobbiate, debbano
essere	sono, sei	ero	è stato	sii, sia, siate	sarei	sarò	sia
fare	faccio, fai	facevo	ho fatto	fa', faccia	farei	farò	faccia
piacere	piace, piacciono	piaceva	è piaciuto		piacerebbe, piacerebbero	piacerà, piaceranno,	piaccia, piacciano
potere	posso, puoi	potevo	ho/sono potuto		potrei	potrò	possa
rimanere	rimango, rimani	rimanevo	sono rimasto	rimani, rimanga	rimarrei	rimarrò	rimanga, rimaniamo, rimaniate, rimangano
riuscire	riesco, riesci	riuscivo	sono riuscito		riuscirei	riuscirò	riesca, riusciamo, riusciate, riescano

G

Appendice – Lista dei verbi irregolari

infinito	presente	imperfetto	passato prossimo	imperativo	condizionale	futuro	congiuntivo
sapere	so, sai	sapevo	ho saputo	sappi, sappia sappiate	saprei	saprò	sappia, sappiamo sappiate, sappiano
scegliere	scelgo, scegli	sceglievo	ho scelto	scegli, scelga	sceglierei	sceglierò	scelga, scegliamo scegliate, scelgano
scendere	scendo, scendi	scendevo	sono sceso	scendi, scenda	scenderei	scenderò	scenda
scrivere	scrivo, scrivi	scrivevo	ho scritto	scrivi, scriva	scriverei	scriverò	scriva
sedere	siedo, siedi, siede, sediamo, sedete, siedono	sedevo	sono seduto	siedi; sieda	siederei	siederò	sieda, sediamo sediate, siedano
stare	sto, stai	stavo	sono stato	sta', stia, stiate	starei	starò	stia
tenere	tengo, tieni, tiene, teniamo, tenete, tengono	tenevo	ho tenuto	tieni, tenga	terrei	terrò	tenga, teniamo teniate, tengano
uscire	esco, esci	uscivo	sono uscito	esci, esca	uscirei	uscirò	esca, usciamo usciate, escano
vedere	vedo, vedi	vedevo	ho visto	vedi, veda	vedrei	vedrò	veda
venire	vengo, vieni	venivo	sono venuto	vieni, venga	verrei	verrò	venga, veniamo veniate, vengano
volere	voglio, vuoi	volevo	ho/sono voluto		vorrei	vorrò	voglia, vogliamo vogliate, vogliano

G

GLOSSARIO

L'asterisco(*) indica che il verbo ha una forma irregolare. I verbi che si coniugano come finire (finisco) sono indicati (-isc). Il punto sotto le parole indica dove cade l'accento.

LEZIONE 1

La famiglia _____

1

fare notizia _____
la notizia _____
i nonni *(pl.)* _____
i nipoti *(pl.)* _____
l'anziano _____
l'obiettivo _____
creare _____
in _____
in carriera _____
l'ora _____
il dietrofront _____
uno su quattro _____
tornare a casa _____
l'auto _____
il traffico _____
Attenti a! _____
uno solo _____
lo studio _____
il fratello _____
la sorella _____
ritrovarsi _____
il secolo _____
l'incontro _____
i genitori *(pl.)* _____

2

di seguito _____
l'elenco _____
incompleto _____
riguardare _____
con l'aiuto di _____

l'aiuto _____
la tabella _____
il/la nonno/-a _____
il padre _____
la madre _____
i fratelli *(pl.)* _____
il/la nipote _____
lo/la zio/-a _____
il/la cugino/-a _____

3

trovare _____
inventare _____

4

segnare _____
seguente _____
l'affermazione _____
vero _____
falso _____
il più giovane _____
sposato _____
anch'io _____
numeroso _____
il figlio unico _____
unico _____
il/la sociologo/-a _____
immaginare _____
un po' … un po' _____
la cultura _____
economico _____
il mammone _____
il ragazzo _____

5

la forma _____

(il) mio _____

(il) suo _____

6

il familiare _____

l'albero genealogico _____

l'albero _____

confrontare _____

7

attraverso _____

appropriato _____

8

Che fine hai fatto? _____

è da un secolo che … _____

farsi* sentire _____

sentire _____

ogni tanto _____

il/la cognato/-a _____

tenere* al corrente qu. _____

combinare _____

che _____

trasferirsi* _____

dare* _____

fa _____

laurearsi _____

lasciare _____

gli studi (pl.) _____

dedicarsi (a) _____

la cosa _____

ebbene _____

sposarsi _____

mai e poi mai _____

Ma che vuoi fare? _____

l'amore _____

comunque _____

contento _____

in gamba _____

i suoceri (pl.) _____

a proposito _____

il/la suocero/-a _____

vecchio _____

il/la bambino/-a _____

incredibile _____

No? _____

la fantasia _____

riuscire (a) _____

la barba _____

biondo _____

il/la compagno/-a _____

in braccio _____

tra l'altro _____

la novità _____

siccome _____

per lettera _____

venire* a trovare _____

anzi _____

decidersi* (a) _____

individuare _____

è da tanto tempo che … _____

informare _____

capace _____

(il) nostro _____

(il) loro _____

9

riflettere _____

segnando _____

segnare _____

generalmente _____

la parentela _____

10

il dado _____

a turno _____

il giocatore _____

lanciare il dado _____

avanzare _____

la casella _____

il punto _____

indicare _____

il lancio _____

corrispondere* (a) _____

il compito _____

il vocabolo _____

relativo _____

corretto _____

guadagnare _____

maggiore (il) _____

il numero _____

gli occhiali (pl.) _____

11

notare _____

in plenum _____

12

Attenzione! _____

per primo _____

da poco (tempo) _____

la fisica _____

arrabbiarsi (con qu.) _____

per anni _____

il giardinaggio _____

13

immaginare _____

attuale _____

14

la percentuale _____

ritenere* _____

probabile _____

sotto _____

coniugato _____

al di sotto di _____

entro _____

il caseggiato _____

l'abitazione _____

il maschio _____

la femmina _____

almeno _____

a settimana _____

per telefono _____

il dato _____

menzionare _____

comparire* _____

la registrazione _____

la convivenza _____

la famiglia allargata _____

la famiglia di fatto _____

il fenomeno _____

il mammismo _____

l'origine _____

spiegare _____

il significato _____

elencato _____

sopra _____

nuovamente _____

essere* legato (a) _____

la tradizione _____

il cambiamento _____

nel rapporto con _____

il rapporto _____

all'interno di _____

E inoltre

1

le nozze (pl.) _____

rispondere* _____

pensare di (+ inf.) _____

regalare _____

proporre* _____

i soldi (pl.) _____

la lista di nozze _____

anonimo _____

da parte di _____

evitare (di) _____

ricevere _____

in effetti _____

fare* (+ inf.) _____

2

gli sposi (pl.) _____

l'esperienza personale _____

LEZIONE 2

Da piccola ...

1

proteggere* _____

secondo _____

la coscienza _____

animalista (agg.) _____

amato _____

temere _____

il serpente _____

chiedere* _____

indirizzarsi (su) _____

la specie _____

il gatto _____

il posto _____

la classifica _____

il cavallo _____

la tigre _____

GL

l'uccello _____

il leone _____

il delfino _____

essere* _____

accontentare _____

in maggioranza _____

la maggioranza _____

tra le quattro mura
domestiche _____

il muro _____

lo spazio _____

la tartaruga _____

il criceto _____

il coniglio _____

trasformarsi (in) _____

il ghepardo _____

identificarsi (con) _____

forte _____

la farfalla _____

diversi *(pl.)* _____

la maggior parte _____

2

il sondaggio _____

prendere nota _____

riferire *(-isc)* _____

il risultato _____

diffuso _____

3

essere in giro _____

essere adatto a _____

adatto _____

ricordare (a qu. di + *inf.*) _____

viziare _____

allergico (a) _____

non è vero _____

intelligente _____

svegliare _____

quando _____

la porta _____

riconoscere *(-isc)* _____

il rumore _____

ora _____

È un peccato! _____

l'armonia _____

in campagna _____

la campagna _____

soffrire* _____

4

l'infanzia _____

la fattoria _____

trascorrere* _____

5

individualmente _____

6

niente + sost. _____

essere d'accordo (con qu.) _____

essere contrario (a qc.) _____

sostenere* _____

avere bisogno (di) _____

cattivo _____

l'odore _____

pericoloso _____

sporcare *(intr.)* _____

rompere* _____

la cura _____

7

pro e contro _____

favorevole (a) _____

8

chiacchierare _____

a … anni _____

prima _____

il concetto _____

diverso _____

da bambino/-a _____

la cabina _____

il lido _____

andare* a trovare _____

veramente _____

nel senso che _____

il senso _____

significare _____

necessariamente _____

9

esprimere* _____

l'azione _____

abituale _____

avere luogo _____

10

mancante _____

12

la scrittrice _____
nel corso di _____
noto _____
raccogliere* _____
il volume _____
ripensare (a) _____
il piacere _____
ci penso _____
in un certo senso _____
più _____
tormentare _____
la sensazione _____
ricordarsi _____
inventare _____
la malattia _____
attirare _____
l'attenzione _____
stare* male _____
stare* bene _____
severo _____
tremendo _____
la sfuriata _____
la lite _____
il carattere _____
loquace _____
chiuso _____
andare via _____
il ricordo _____
risalire* (a) _____
proprio _____
la malinconia _____
sentire _____
sentirsi _____
escluso _____
l'aritmetica _____
essere bravo in _____
il tema _____
accurato _____
di più _____
la noia _____
mortale _____
costringere* (qu. a + _inf._) _____
la scalata in montagna _____
a denti stretti _____

il dente _____
Ho finito con l'odiare ... _____
il tipo _____
la poesia _____
il racconto _____
la festicciola da ballo _____
in fondo _____
il romanzo _____
da grande _____
tutte e due le cose _____
no _____
malato _____
lasciare _____

13

la materia _____

14

il concorso letterario _____
il concorso _____
partecipare (a) _____
intitolato _____
per iscritto _____

E INOLTRE

1

la gatta _____
opportuno _____
verificare _____
la macchia _____
il muso _____
la soffitta _____
a ... passi da _____
il passo _____
il cielo _____
suonare (_intr._) _____
fare le fusa _____
la stella _____
sorridere* _____
tornare su _____
là _____
cambiare (_intr._) _____

GL

LEZIONE 3

Non è bello ciò che
  è bello ... _____
ciò che _____

1

alto _____
basso _____
magro _____
grasso _____
i capelli *(pl.)* _____
liscio _____
riccio _____
calvo _____
castano _____
l'occhio _____
i baffi *(pl.)* _____

2

l'intruso _____
il/la partecipante _____
turistico _____
né ... né _____
anziano _____
attraente _____

3

l'aspetto fisico _____
trattarsi di _____

4

il tipo _____
aperto _____
divertente _____
vanitoso _____
simpatico _____
timido _____
sensibile _____
noioso _____
bruttino _____
brutto _____
Non ce l'ho fatta! _____
farcela* _____
il concerto _____
conoscere* _____
assomigliare (a) _____
Però! _____

il contrario (di) _____
sapere* _____
il violino _____
lasciar(e) perdere _____
il master _____
Penso di no. _____
lo studio pubblicitario _____

6

l'ipotesi _____
guidare _____
la motocicletta _____
la lingua straniera _____
cantare _____
cucire _____

7

la fotografia _____

8

panciuto _____
largo di fianchi _____
il fianco _____
la spalla _____
la gamba _____
il piede _____
ossuto _____
piatto _____
quanto _____
la sacca della spesa _____
finta tigre _____
le faccende *(pl.)* _____
la testa _____
il fazzoletto _____
a turbante _____
ben proporzionato _____
per mia/tua disgrazia _____
la disgrazia _____
pettinarsi _____
puntato in cima _____
la faccia _____
le occhiaie *(pl.)* _____
la ruga _____
pieno _____
nascondere* _____
crespo _____
gonfio _____
li taglia ben corti _____

chissà _____

tingere* _____

sul momento _____

solo (agg.) _____

pulito _____

preciso _____

di sotto (agg.) _____

il casino (pop.) _____

dopo che _____

stirare _____

andarsene* _____

andare* a prendere _____

l'asilo _____

non le va _____

mi va (di + inf.) _____

correre* dietro _____

correre* _____

portare a spasso _____

10

migliore _____

11

essere alla ricerca di _____

il/la compagno/-a _____

di viaggio _____

indicare _____

nominare _____

escludere* _____

flessibile _____

sopportare _____

avere paura di _____

lo scorpione _____

il fidanzato _____

Accidenti! _____

ormai _____

il biglietto _____

qualcun'altro _____

Sembra facile! _____

facile _____

il deserto _____

il sacco a pelo _____

su due piedi _____

venire in mente _____

nessuno _____

Figurati! _____

primo _____

secondo _____

lasciare _____

Stai scherzando? _____

dappertutto _____

13

organizzare _____

la preferenza _____

14

la situazione _____

fare* una proposta _____

la proposta _____

esprimere* un desiderio _____

il desiderio _____

dare* un consiglio _____

il consiglio _____

chiedere* cortesemente _____

   qualcosa

fare* un'ipotesi _____

al posto (mio, tuo ...) _____

15

reagire (-isc) _____

il frigorifero _____

vuoto _____

accorgersi* di _____

abbastanza _____

16

il principe azzurro _____

l'intervistato/-a _____

altruista _____

attivo _____

paziente _____

estroverso _____

sicuro _____

generoso _____

lavoratore _____

protettivo _____

l'ideale _____

maschile _____

la qualità _____

la pazienza _____

contare _____

apparentemente _____

esistere _____

GL

17

dividersi * _____

il portavoce _____

la classe _____

E INOLTRE

1

l'oroscopo _____

il segno zodiacale _____

l'ariete _____

il toro _____

i gemelli (pl.) _____

il cancro _____

la vergine _____

la bilancia _____

il sagittario _____

il capricorno _____

l'acquario _____

2

intraprendente _____

possessivo _____

ambizioso _____

indipendente _____

snob _____

gentile _____

perfezionista _____

curioso _____

realista _____

ottimista _____

laborioso _____

testardo _____

geloso _____

emotivo _____

impulsivo _____

l'affetto _____

superficiale _____

saggio _____

il consigliere _____

facilmente _____

presto _____

stancarsi _____

adorare _____

il tesoro _____

la dolcezza _____

parsimonioso _____

solido _____

la base economica _____

ottimo _____

allo stesso tempo _____

irritabile _____

nervoso _____

la natura _____

rendere* + agg. _____

difficile _____

stare* _____

gli interessi (pl.) _____

intellettuale _____

fragile _____

prepotente _____

il guscio _____

estraneo/-a _____

il mondo _____

la vitalità _____

passionale _____

galante _____

altezzoso _____

socievole _____

fidarsi di _____

serio _____

lento _____

sospettoso _____

pensare _____

prendere* una decisione _____

la decisione _____

costante _____

amante di _____

ragionevole _____

chiacchierone/-a _____

curato _____

cordiale _____

fiducioso _____

superstizioso _____

terribilmente _____

litigioso _____

sicuro di sé _____

il nemico _____

previdente _____

regolare _____

l'imprevisto _____

la memoria _____

esigente _____

avaro _____

persino _____

pessimista _____

fantasticare _____

andare* d'accordo (con) _____

giusto _____

l'idea _____

il progetto _____

mancare (di) _____

assolutamente _____

il senso pratico _____

tenace _____

il locale notturno _____

notturno _____

LEZIONE 4

Appuntamenti _____

1

la regia _____

il botteghino _____

il riposo _____

la vicenda _____

riassunte _____

riassumere* _____

esporre* _____

la selezione _____

l'opera _____

la scuderia _____

papale _____

il/la regista _____

l'adattamento _____

l'accademia _____

la replica _____

l'oratorio _____

il programma _____

in particolare _____

contemporaneo _____

3

avere* dei programmi _____

l'impegno _____

la facoltà _____

sto facendo la fila _____

fare* la fila _____

va bene _____

Però! _____

la riduzione _____

guarda che _____

essere* al verde _____

accettare _____

rifiutare _____

4

la controproposta _____

precedente _____

il posto _____

Che ne dici di …? _____

l'appuntamento _____

5

essere* a dieta _____

6

sulla base di _____

decidere* _____

7

in fila _____

8

Come rimaniamo? _____

vedersi* _____

facciamo _____

il meccanico _____

venire* a prendere _____

riaccompagnare _____

mettersi* d'accordo _____

infatti _____

10

chiamare il medico _____

chiamare _____

riparare _____

pulire i vetri _____

pulire (-isc) _____

il vetro _____

fissare un appuntamento _____

restituire (-isc) _____

la videocassetta _____

la tartina _____

la bolletta _____

11

il luogo _____

pubblico _____

le buone maniere (pl.) _____

il comportamento _____

corretto _____

far(e)* notare _____

la presenza _____

quindi _____

il commento _____

il rumore _____

proprio _____

la carta _____

fastidioso _____

una volta trovato ... _____

mantenere* _____

muovere* _____

continuamente _____

da una parte all'altra _____

tossire *(-isc)* _____

starnutire *(-isc)* _____

lo schermo _____

il monumento _____

ad alta voce _____

la voce _____

essere* d'obbligo _____

puntuale _____

per rispetto verso _____

l'attore _____

la poltrona _____

occupato _____

occupare _____

la pausa _____

la guida _____

il quadro _____

sicuramente _____

utile _____

spegnere* _____

13

dare* fastidio (a) _____

15

Vi è mai capitato? _____

capitare _____

vivere* _____

in prima persona _____

assistere (a) _____

l'episodio _____

la maleducazione _____

E INOLTRE

1

la rappresentazione _____

l'orario di apertura _____

sapere* _____

più o meno _____

la fila _____

variare _____

telefonicamente _____

2

simulare _____

la manifestazione _____

l'allestimento _____

la voce narrante _____

la biglietteria _____

la prevendita _____

LEZIONE 5

Buon viaggio! _____

1

il questionario _____

più volte _____

il viaggio _____

organizzato _____

individuale _____

il mezzo di trasporto _____

l'aereo _____

la nave _____

a noleggio _____

il camper _____

la sistemazione _____

l'agriturismo _____

esattamente _____

il luogo _____

nulla _____

affidarsi a _____

l'istinto _____

i bagagli *(pl.)* _____

bastare _____

lo zaino _____

l'ombrello _____

il diario di viaggio _____

la macchina fotografica _____

la videocamera _____

la tranquillità _____

nuotare _____

il movimento _____

di interesse artistico _____

l'avventura _____

provare _____

la discussione _____

2

una cosa _____

dimmi pure _____

il villaggio turistico _____

trovarsi _____

sinceramente _____

l'animatore _____

davvero? _____

fare* le proprie cose _____

il catalogo _____

magari! _____

3

la strada _____

male _____

rompersi* _____

chiedere* scusa _____

l'altro ieri _____

4

l'indicazione _____

il podere _____

gli agrumi *(pl.)* _____

l'olivo _____

l'azienda _____

la guida _____

agricolo _____

la pesca _____

la noce _____

i legumi *(pl.)* _____

il sottolio _____

la ristorazione _____

l'ettaro _____

l'oliveto _____

il frutteto _____

l'orto _____

l'equitazione _____

gli ortaggi *(pl.)* _____

5

tratto _____

lo scrittore _____

dopo _____

l'agenzia _____

Pireo _____

il passaggio di solo ponte _____

il ponte _____

la moto _____

i preparativi *(pl.)* _____

mettere* da parte _____

la tenda canadese _____

in vita mia _____

riempire (di) _____

l'agitazione _____

il porto _____

a picco _____

eccitato _____

senza nessun programma _____

definito _____

a mano _____

cauto _____

l'assalto _____

il suono _____

l'immagine _____

la quantità _____

singolo _____

scandinavo _____

la pelle _____

chiaro _____

l'americano/-a _____

la custodia _____

il branco _____

l'agenzia di viaggio _____

l'alternativa _____

fuori _____

farsi* largo (tra) _____

la folla _____

assediare _____

il bancone _____

intorno _____

la carta geografica _____

la parete _____

tornare indietro _____

brillare _____

le Cicladi _____

le Sporadi _____

Creta _____

GL

Idra _____

dettagliatamente _____

la Grecia _____

l'arrivo _____

trovarsi di fronte _____

6

possibilmente _____

l'uso _____

7

trasformare _____

l'aeroporto _____

il taxi _____

terribile _____

fermarsi _____

indeciso _____

entrare _____

decidere* (di) _____

noleggiare _____

proseguire (per) _____

la pausa _____

ripartire _____

verso _____

andare* a vedere _____

il fiore _____

le spezie _(pl.)_ _____

essere* stanco di _____

9

la disavventura _____

rotto _____

sporco _____

il dispiacere _____

Ma non mi dire! _____

Ma dai! _____

Roba da matti! _____

Dici sul serio? _____

Che disastro! _____

Che guaio! _____

Che sfortuna! _____

la sfortuna _____

10

succedere* _____

E INOLTRE

1

l'arcipelago _____

prima di tutto _____

raggiungere* _____

il traghetto _____

quanto tempo? _____

volerci* _____

circa _____

Vediamo un po' _____

la poltrona _____

intorno a _____

la durata _____

2

l'orario di partenza _____

l'orario di arrivo _____

LEZIONE 6

L'importante è mangiare
  bene _____
  _____

1

il modo _____
alimentare _____
velocemente _____
fare* un pasto veloce _____
la danza _____
il/la vegetariano/-a _____
avere* un debole per _____
i dolci (pl.) _____
i cereali (pl.) _____
saltare un pasto _____
a cena _____
preciso _____
la mensa _____
dedicare _____
in genere _____
che fa per voi _____

2

consigliare _____
dimagrire (-isc) _____
regolarmente _____
la salsa _____
variare la dieta _____

3

esagerare _____
il peso _____
un po' poco _____
Parli bene tu! _____
essere* un grissino _____
il grissino _____
la regola _____
è una questione di ... _____
la questione _____
organizzarsi _____
la bibita _____
zuccherato _____
al limite _____
altrimenti _____
che ne so _____

4

il sovrappeso _____
limitare _____
gli zuccheri _____
i grassi _____
la caloria _____
gli alcolici _____
camminare _____

5

con quale frequenza? _____
la tazza _____
fare* un pasto caldo/
  freddo _____

6

il massaggio _____
l'integratore dietetico _____
pesarsi _____

7

pensare _____
mai _____

8

riscoprire* _____
la tavola _____
lo stress _____
perdere* il gusto _____
ritrovare _____
salvare _____
la vecchia tavola _____
osservare una regola _____
in piedi _____
il lavandino _____
trattare _____
digerire (-isc) _____
il carrello _____
l'etichetta _____
locale _____
sicuro _____
culinario _____
rischiare di _____
scomparire* _____
sostenere* _____
fare* conoscere a _____

GL

la posizione —————————————

trovarsi —————————————

10

il manifesto —————————————

il segreto —————————————

11

la serie —————————————

il cibo veloce —————————————

il cibo —————————————

il cibo etnico —————————————

nel giro di —————————————

il caffè nero —————————————

e via —————————————

abbondante —————————————

classico —————————————

la fettina —————————————

concludere* —————————————

iniziare —————————————

lo spuntino —————————————

apprezzare —————————————

da una parte ... dall'altra —————————————

attento —————————————

l'alcol —————————————

consumare —————————————

la merendina —————————————

l'importanza —————————————

attribuire (-isc) —————————————

la prima colazione —————————————

la comparsa —————————————

sconosciuto —————————————

l'adulto —————————————

completamente —————————————

appena —————————————

soltanto —————————————

il consumo alimentare —————————————

diversificato —————————————

ad esempio —————————————

il settore —————————————

recente —————————————

appunto —————————————

il classico —————————————

essere* in crescita —————————————

il boom —————————————

messicano —————————————

il trionfo —————————————

la dieta mediterranea —————————————

mediterraneo —————————————

odierno —————————————

convivere* —————————————

la pasta aglio e olio —————————————

le tortillas —————————————

attuale —————————————

12

lamentarsi —————————————

pronto —————————————

criticare —————————————

crudo —————————————

originale —————————————

13

provare —————————————

il/la tradizionalista —————————————

E INOLTRE

1

squisito —————————————

piccante —————————————

insipido —————————————

bruciato —————————————

il peperoncino —————————————

il sugo —————————————

il forno —————————————

cotto —————————————

2

l'alimento —————————————

avere* in comune —————————————

il sapore —————————————

agro —————————————

amaro —————————————

grasso —————————————

duro —————————————

sano —————————————

LEZIONE 7

Mens sana _____

1

avere* mal di _____
stare* al sole _____
scottarsi _____
lo stomaco _____
la schiena _____
l'allergia (a) _____
il polline _____
prendere* una medicina _____
la medicina _____
mi gira la testa _____
girare _____
bruciare _____
l'oculista (m. + f.) _____
la fisiokinesiterapia _____
il/la dentista _____
lo studio medico _____

2

la bocca _____
il petto _____
il braccio (pl. le braccia) _____
la pancia _____
la mano (pl. le mani) _____
il dito (pl. le dita) _____
il ginocchio
   (pl. le ginocchia) _____
l'orecchio (pl. le orecchie) _____
il labbro (pl. le labbra) _____
il collo _____
il disturbo _____
il raffreddore _____
l'irritazione alla pelle _____
mettere* _____
la crema solare _____
l'aspirina _____
la pomata _____
servire _____
è da ieri che _____
strano _____
fare* male _____
fare* vedere _____
il colpo di sole _____
può darsi _____

allora, guardi ... _____
in bianco _____
rivolgersi* a _____

3

mettersi* a letto _____

4

il medicinale _____
rilassarsi _____

5

il minuto _____
la squadra _____
ingrassare _____

6

Macché! _____
evidentemente _____
probabilmente _____
migliore _____
da quando _____
rispondere* di sì/di no _____

7

avere* sete _____
la sete _____
il nuoto _____
l'omeopatia _____
l'acqua naturale _____
la medicina _____

8

combattere _____

9

scoprirsi* _____
praticare uno sport _____
estivo _____
contro _____
riempirsi di _____
il/la ciclista _____
pedalare _____
in ogni modo _____
non importa _____
la costituzione fisica _____
il controllo medico _____
lentamente _____

fermarsi _____

la tortura _____

a stomaco vuoto _____

sia … che _____

l'attività fisica _____

l'esercizio fisico _____

l'abito _____

la plastica _____

sottovalutare _____

11

l'attività sportiva _____

12

la scusa _____

convincere* _____

preoccuparsi (per) _____

la salute _____

il muscolo _____

13

il ruolo _____

impegnato _____

pigro _____

ultimamente _____

iscriversi* a _____

E INOLTRE

1

alternativo _____

in prevalenza _____

la fitoterapia _____

l'agopuntura _____

curare _____

l'acciacco _____

triplicare _____

conquistare _____

la cura _____

quanto _____

emergere* _____

l'indagine _____

condurre* un'indagine _____

il campione _____

elaborare dei dati _____

pari a _____

la popolazione _____

totale _____

coloro che _____

notevole _____

il livello culturale _____

curare _____

sotto un'etichetta _____

popolare _____

la ragione _____

estremamente _____

considerare _____

tossico _____

convenzionale _____

rappresentare _____

il rimedio _____

certo _____

efficace _____

instaurare un rapporto _____

il paziente _____

2

il vantaggio _____

lo svantaggio _____

LEZIONE 8

il mondo del lavoro _____

1

il progetto _____

il servizio _____

l'impiego _____

ricercare _____

il docente _____

la sede _____

la laurea _____

la conoscenza _____

l'ambiente _____

la disponibilità _____

il curriculum (vitae) _____

il/la receptionist _____

la segreteria _____

il requisito _____

il diploma _____

max _____

commerciale _____

massimo _____

il programmatore _____

militare assolto

att.ne (*abbr.* attenzione)

la clinica

professionale

l'assunzione

a tempo indeterminato

disponibile a

il turno

il titolo di studio

determinato

richiedere*

prestare il servizio militare

il servizio militare

2

prima o poi

il futuro

l'estero

i parenti (*pl.*)

come

l'agenzia assicurativa

il corso di formazione

aprire*

adesso che

avere* intenzione di

la fatica

perché no?

bisogna essere ...

sul serio

il posto

non è il massimo

3

la facoltà

l'ingegneria

la storia dell'arte

l'impresa

l'antiquariato

5

necessario

affascinante

ricco

ordinato

creativo

affidabile

l'informatica

il contatto

le conoscenze linguistiche

linguistico

la patente

la fortuna

6

egregio dottor ...

correttamente

a ... disposizione

la domanda

presso

la guida turistica

spett.le (*abbr.* spettabile)

in riferimento a

pubblicare

permettersi*

presentare domanda

in questione

nubile

risiedere

il liceo linguistico

diplomarsi

la votazione

la scuola di lingue

al mio/tuo ritorno

l'assistente di terra

inviare

ulteriore

essere* lieto di

fornire (*-isc*)

in occasione di

eventuale

porgere* i saluti

allegato

essere* interessato a

9

sbrigarsi

lasciare stare

mi sa che

non vedere l'ora di

per conto mio/tuo

autonomo

maggiore

la responsabilità

gestire (*-isc*)

il coraggio

mettersi* in proprio

in proprio   ————————————

visto che   ————————————

lo studio   ————————————

promettere*   ————————————

il socio   ————————————

10

la colonna   ————————————

avere* bisogno
di una mano   ————————————

il tecnico   ————————————

12

suonare   ————————————

il dubbio   ————————————

il capo   ————————————

il pacco   ————————————

la forma   ————————————

l'accento   ————————————

la firma   ————————————

la cassetta delle lettere   ————————————

13

stesso   ————————————

il trattamento   ————————————

il rapporto   ————————————

essere* schiavo di   ————————————

europeo   ————————————

scattare una fotografia   ————————————

l'Osservatorio   ————————————

l'occupazione   ————————————

redigere*   ————————————

ogni … anni   ————————————

la condizione   ————————————

migliorare   ————————————

paragonare a   ————————————

occupato   ————————————

il lavoro dipendente   ————————————

il lavoro indipendente   ————————————

la causa   ————————————

favorire*   ————————————

eccessivo   ————————————

l'intensità   ————————————

il ritmo   ————————————

sotto pressione   ————————————

autonomamente   ————————————

il giorno di riposo   ————————————

continuare a salire*   ————————————

tramite   ————————————

in media   ————————————

l'orario settimanale   ————————————

evidente   ————————————

la struttura   ————————————

il prestigio   ————————————

il potere   ————————————

occupare   ————————————

la posizione   ————————————

elevato   ————————————

il carico   ————————————

aggravare   ————————————

familiare   ————————————

la lavoratrice   ————————————

aumentare   ————————————

14

a causa di   ————————————

equamente   ————————————

E INOLTRE

1

in ordine sparso   ————————————

i dati personali   ————————————

il luogo di nascita   ————————————

la data di nascita   ————————————

la nascita   ————————————

lo stato civile   ————————————

la specializzazione   ————————————

le esperienze professionali   ————————————

la pratica sistemi
informatici   ————————————

celibe   ————————————

il sistema operativo   ————————————

la traduzione   ————————————

la rivista   ————————————

il/la giornalista   ————————————

lo stage   ————————————

scritto   ————————————

parlato   ————————————

la maturità   ————————————

il liceo scientifico   ————————————

le scienze politiche   ————————————

LEZIONE 9

Casa dolce casa _____

1

il casale _____
ristrutturare _____
in stile _____
il salone _____
vendesi _____
l'attico _____
lo studio _____
la cameretta _____
i servizi *(pl.)* _____
la terrazza _____
il condominio _____
la mansarda _____
panoramico _____
il cucinotto _____
ampio _____
il terrazzo _____
il centro storico _____
delizioso _____
il monolocale _____
l'angolo cottura _____
arredare _____
bifamiliare _____
il camino _____
isolato _____
ospitare _____
in affitto _____
definire *(-isc)* _____
la stanza _____
completo di _____
il mobile _____

2

la caratteristica _____
luminoso _____
ben collegato _____
la cantina _____
di per sé _____
il verde _____
un po' di vita _____
dalle mie/tue parti _____
il metro quadrato _____
fondamentale _____

sbagliarsi _____
fantastico _____
avvicinarsi a _____
per caso _____
l'affitto _____
direttamente _____

3

tenere* conto di _____

5

fermarsi _____
la faticaccia _____
il fiume _____
il livello _____
le scale *(pl.)* _____
ripido _____
il parquet _____
dare* su _____
il canale _____
adattare a _____
l'elettrodomestico _____
per i miei/tuoi gusti _____
il mobiletto _____
accogliente _____
silenzioso _____
circolare _____
produrre* _____
il vicino _____
sottile _____
sperare _____
abbracciare _____
in base a _____

7

la soluzione _____
buio _____
spoglio _____
la pianta _____
dipingere* _____

8

la scelta _____
scambiare _____
supporre* _____
l'agenzia _____
il controllo _____

9

rischioso _____
tenere* _____

10

il punto di vista _____
dissuadere* _____

12

l'impressione (f.) _____

E INOLTRE

1

destinare _____
lo specchio _____
la poltrona _____
la libreria _____
il tappeto _____
il water _____
il divano _____
la vasca da bagno _____
il comodino _____
il lavabo _____
la scrivania _____
la cucina a gas _____

2

rinnovare _____

LEZIONE 10

Incontri _____

1

l'agenzia matrimoniale _____
l'anima gemella _____
cercasi _____
il colpo di fulmine _____
venire* in mente _____

2

più che altro _____
scambiarsi una parola _____
sfogliare _____
niente _____
Non mi dire! _____
giurare _____
alzare gli occhi _____
all'inizio _____
finalmente _____
alla fine _____
essere* in corso _____

3

una giornata nera _____

4

la curiosità _____
verso _____
La sai l'ultima? _____

5

curioso _____
inusuale _____
prestare attenzione a _____

6

è tratto _____
infinito _____
la scena letteraria _____
il linguaggio _____
privo di _____
la punteggiatura _____
venire* fame _____
che io sappia _____
sedersi* _____
essere* in coda _____

GL

la coda _____

nevicare _____

l'intenzione _____

è arrivato il mio turno _____

correggere* _____

staccare gli occhi da _____

farsi* coraggio _____

tanto _____

convenire* _____

risparmiare _____

il vassoio _____

la targhetta _____

il resto _____

specialmente _____

al posto di _____

modificato _____

il pezzettino _____

una specie di _____

il coperchio _____

rotondo _____

mettere* in ordine _____
  cronologico _____

7

la storia _____

il/la protagonista _____

la versione _____

9

comportarsi _____

il disastro _____

comunque sia _____

il localino _____

a lume di candela _____

la candela _____

mettersi* a + *inf.* _____

per farla breve _____

mangiare/bere* per tre _____

10

ubriaco _____

il portafoglio _____

E INOLTRE

1

baciare _____

tacere* _____

folle _____

ripensare _____

il terrore _____

stregare _____

viziare _____

coccolare _____

il cretino _____

il grano (*pop.*) _____

il tresette _____

piantare _____

un tipo svaporato _____

scovare _____

squagliarsela _____

lo schiaffo _____

servire _____

il disgraziato _____

puntare la pistola _____

la pistola _____

il colpo _____

sparare _____

E pensare che ... _____

Qualcosa in più

Il villaggio mi piace _____

appartenere* _____
la schiera _____
inorridire *(-isc)* _____
il pensiero _____
finché _____
la separazione _____
nello stesso tempo _____
la serie _____
gli aspetti organizzativi _____
che mi avrebbero pesato _____
pesare _____
visto _____
insomma _____
fare* il bis _____
immerso _____
discretamente _____
l'ulivo _____
trasmettere* _____
tenue _____
la stradina _____
la pietra rustica _____
condurre* _____
il punto _____
il prato _____
curato _____
il cespuglio _____
le erbe odorose _____

Così abita l'Italia _____

la pubblicità patinata _____
il telefilm _____
il catalogo di arredamento _____
il salone del mobile _____
la rivista specializzata _____
il teatrino domestico _____
stracolmo _____
la ricercatrice _____
l'intervistatore _____
le centinaia *(pl.)* _____
usa e getta _____
immortalare _____
le migliaia *(pl.)* _____

lo scatto _____
selezionato _____
raggruppare _____
la tipologia _____
dominante _____
centrale _____
concentrarsi _____
abitualmente _____
prevalere* _____
il luogo di rappresentanza _____
l'ambiente _____
risultare _____
maggiormente _____
l'identità _____
il calore _____
disposto _____
ricevere _____
non vissuto _____
coperti di cellofan _____
perché non si sporchino _____
sporcarsi _____
l'ossessione *(f.)* _____
il coordinato _____
la stoffa _____
la concessione _____
divertito _____
il pezzo d'arredamento _____
a totale insaputa _____
a parte _____
comune _____
la classe sociale _____
carico _____
inutile _____
la società dei consumi _____
il poster _____
appeso _____
immancabile _____
trionfare _____
l'arredo libero _____
soggiornare _____
a seconda _____
nominare _____
colpire *(-isc)* _____
rassomigliare _____

Vita da single? _____

Il Web ti aiuta _____

la scelta di vita _____

le cause esterne _____

l'esigenza _____

i servizi (pl.) _____

corteggiare _____

mirato _____

la confezione _____

monoporzione _____

a loro dedicati _____

amministrare _____

al meglio _____

la comunità virtuale _____

moltiplicarsi _____

l'iscritto _____

il segno _____

il senso di appartenenza _____

l'associazione _____

l'indicazione _____

in solitario _____

la necessità _____

l'ostacolo _____

rendere più semplici _____

superare _____

gratuito _____

il metodo _____

illustrare _____

l'occupazione domestica _____

togliere* una macchia _____

di sezione in sezione _____

sbrigare gli impicci _____

il solitario _____

la Rete _____

il canale _____

in sostanza _____

orgogliosamente _____

essere* d'aiuto _____

la mancanza _____

GLOSSARIO ALFABETICO

Il primo numero in grassetto indica la lezione, il secondo l'attività. L'asterisco (*) indica che il verbo ha una forma irregolare. La lettera (E) si riferisce a testi o a illustrazioni inseriti in E inoltre.

a ... disposizione **8** 6
a ... anni **2** 8
a causa di **8** 14
a cena **6** 1
a denti stretti **2** 12
a lume di candela **10** 9
a mano **5** 5
a noleggio **5** 1
a picco **5** 5
a proposito **1** 8
a settimana **1** 14
a stomaco vuoto **7** 9
a tempo indeterminato **8** 1
a turbante **3** 8
a turno **1** 10
a ... passi da **2** 1 (E)
abbastanza **3** 15
abbondante **6** 11
abbracciare **9** 5
abitazione **1** 14
abito **7** 9
abituale **2** 9
accademia **4** 1
accento **8** 12
accettare **4** 3
acciacco **7** 1 (E)
Accidenti! **3** 11
accogliente **9** 5
accontentare **2** 1
accorgersi* di **3** 15
accurato **2** 12
acqua naturale **7** 7
acquario **3** 1 (E)
ad alta voce **4** 11
ad esempio **6** 11
adattamento **4** 1

adattare a **9** 5
adatto **2** 3
adesso che **8** 2
adorare **3** 2 (E)
adulto **6** 11
aereo **5** 1
aeroporto **5** 7
affascinante **8** 5
affermazione **1** 4
affetto **3** 2 (E)
affidabile **8** 5
affidarsi a **5** 1
affitto **9** 2
agenzia **5** 5 / **9** 8
agenzia assicurativa **8** 2
agenzia di viaggio **5** 5
agenzia matrimoniale **10** 1
aggravare **8** 13
agitazione **5** 5
agopuntura **7** 1 (E)
agricolo **5** 4
agriturismo **5** 1
agro **6** 2 (E)
agrumi *(pl.)* **5** 4
aiuto **1** 2
al (mio, tuo) ritorno **8** 6
al di sotto di **1** 14
al limite **6** 3
al posto (mio, tuo...) **3** 14
al posto di **10** 6
albero **1** 6
albero genealogico **1** 6
alcol **6** 11
alcolici **6** 4
alimentare **6** 1

alimento **6** 2 (E)
all'inizio **10** 2
all'interno di **1** 14
alla fine **10** 2
allegato **8** 6
allergia (a) **7** 1
allergico (a) **2** 3
allestimento **4** 2 (E)
allo stesso tempo **3** 2 (E)
almeno **1** 14
alternativa **5** 5
alternativo **7** 1 (E)
altezzoso **3** 2 (E)
alto **3** 1
altrimenti **6** 3
altro ieri (l') **5** 3
altruista **3** 16
alzare gli occhi **10** 2
amante di **3** 2 (E)
amaro **6** 2 (E)
amato **2** 1
ambiente **8** 1
ambizioso **3** 2 (E)
americano/-a **5** 5
amore **1** 8
ampio **9** 1
anch'io **1** 4
andare via **2** 12
andare* a prendere **3** 8
andare* a trovare **2** 8
andare* a vedere **5** 7
andare* d'accordo (con) **3** 2 (E)
andarsene* **3** 8
angolo cottura **9** 1
anima gemella **10** 1
animalista **2** 1
animatore **5** 2
anonimo **1** 1 (E)
antiquariato **8** 3
anzi **1** 8
anziano *(sost.)* **1** 1

anziano *(agg.)* **3** 2
aperto **3** 4
apparentemente **3** 16
appena **6** 11
apprezzare **6** 11
appropriato **1** 7
appuntamento **4** 4
appunto **6** 11
aprire* **8** 2
arcipelago **5** 1 (E)
ariete **3** 1 (E)
aritmetica **2** 12
armonia **2** 3
arrabbiarsi (con qu.) **1** 12
arredare **9** 1
arrivo **5** 5
artistico **5** 1
asilo **3** 8
aspetto fisico **3** 3
aspirina **7** 2
assalto **5** 5
assediare **5** 5
assistente di terra **8** 6
assistere (a) **4** 15
assolutamente **3** 2 (E)
assomigliare (a) **3** 4
assunzione **8** 1
att.ne *(abbr.* attenzione) **8** 1
Attenti a! **1** 1
attento **6** 11
attenzione **2** 12
Attenzione! **1** 12
attico **9** 1
attirare **2** 12
attività fisica **7** 9
attività sportiva **7** 11
attivo **3** 16
attore **4** 11
attraente **3** 2
attraverso **1** 7
attribuire *(-isc)* **6** 11

attuale 1 13
aumentare 8 13
auto 1 1
autonomamente 8 13
autonomo 8 9
avanzare 1 10
avaro 3 2 (E)
avercela* 4 8
avere* bisogno (di) 2 6
avere* bisogno di una
   mano 8 10
avere* dei programmi
   4 3
avere* in comune 6 2 (E)
avere* intenzione di 8 2
avere* luogo 2 9
avere* mal di 7 1
avere* paura di 3 11
avere* sete 7 7
avere* un debole per 6 1
avventura 5 1
avvicinarsi a 9 2
azienda 5 4
azione 2 9
baciare 10 1 (E)
baffi *(pl.)* 3 1
bagagli *(pl.)* 5 1
bambino/-a 1 8
bancone 5 5
barba 1 8
base economica 3 2 (E)
basso 3 1
bastare 5 1
ben collegato 9 2
ben proporzionato 3 8
bibita 6 3
bifamiliare 9 1
biglietteria 4 2 (E)
biglietto 3 11
bilancia 3 1 (E)
biondo 1 8
bisogna essere ... 8 2
bocca 7 2
bolletta 4 10
boom 6 11
botteghino 4 1
braccio *(pl.* le braccia)
   7 2

branco 5 5
brillare 5 5
bruciare 7 1
bruciato 6 1 (E)
brutto 3 4
buio 9 7
buone maniere *(pl.)* 4 11
cabina 2 8
caffè nero 6 11
caloria 6 4
calvo 3 1
cambiamento 1 14
cambiare *(intr.)* 2 1 (E)
cameretta 9 1
camino 9 1
camminare 6 4
campagna 2 3
camper 5 1
campione 7 1 (E)
canale 9 5
cancro 3 1 (E)
candela 10 9
cantare 3 6
cantina 9 2
capace 1 8
capelli *(pl.)* 3 1
capitare 4 15
capo 8 12
capricorno 3 1 (E)
carattere 2 12
caratteristica 9 2
carico 8 13
carrello 6 8
carta 4 11
carta geografica 5 5
casale 9 1
caseggiato 1 14
casella 1 10
casino *(pop.)* 3 8
cassetta delle lettere 8 12
castano 3 1
catalogo 5 2
cattivo 2 6
causa 8 13
cauto 5 5
cavallo 2 1
celibe 8 1 (E)
centro storico 9 1

cercasi 10 1
cereali *(pl.)* 6 1
certo 7 1 (E)
che 1 8
Che disastro! 5 9
che fa per voi 6 1
Che fine hai fatto? 1 8
Che guaio! 5 9
che io sappia 10 6
Che ne dici di ...? 4 4
che ne so 6 3
Che sfortuna! 5 9
chiacchierare 2 8
chiacchierone/-a 3 2 (E)
chiamare 4 10
chiamare il medico 4 10
chiaro 5 5
chiedere* 2 1
chiedere* cortesemente
   qualcosa 3 14
chiedere* scusa 5 3
chissà 3 8
chiuso 2 12
ci penso 2 12
cibo 6 11
cibo etnico 6 11
cibo veloce 6 11
ciclista 7 9
cielo 2 1 (E)
ciò che 3 0
circa 5 1 (E)
circolare 9 5
classe 3 17
classico *(agg.)* 6 11
classico *(sost.)* 6 11
classifica 2 1
clinica 8 1
coccolare 10 1 (E)
coda 10 6
cognato/-a 1 8
collo 7 2
colonna 8 10
coloro che 7 1 (E)
colpo 10 1 (E)
colpo di fulmine 10 1
colpo di sole 7 2
combattere 7 8
combinare 1 8

come 8 2
Come rimaniamo? 4 8
commento 4 11
commerciale 8 1
comodino 9 1 (E)
compagno/-a 1 8
compagno/-a di viaggio
   3 11
comparire* 1 14
comparsa 6 11
compito 1 10
completamente 6 11
completo di 9 1
comportamento 4 11
comportarsi 10 9
comunque 1 8
comunque sia 10 9
con l'aiuto di 1 2
con quale frequenza? 6 5
concerto 3 4
concetto 2 8
concludere* 6 11
concorso 2 14
concorso letterario 2 14
condizione 8 13
condominio 9 1
condurre* un'indagine
   7 1 (E)
confrontare 1 6
coniglio 2 1
coniugato 1 14
conoscenza 8 1
conoscenze linguistiche
   8 5
conoscere* 3 4
conquistare 7 1 (E)
considerare 7 1 (E)
consigliare 6 2
consigliere 3 2 (E)
consiglio 3 14
consumare 6 11
consumo alimentare 6 11
contare 3 16
contatto 8 5
contemporaneo 4 1
contento 1 8
continuamente 4 11
continuare a salire 8 13

contrario (di) (sost.) **3** 4
contro **7** 9
controllo **9** 8
controllo medico **7** 9
controproposta **4** 4
convenire* **10** 6
convenzionale **7** 1 (E)
convincere* **7** 12
convivenza **1** 14
convivere* **6** 11
coperchio **10** 6
coraggio **8** 9
cordiale **3** 2 (E)
correggere* **10** 6
correre* **3** 8
correre* dietro a **3** 8
correttamente **8** 6
corretto **1** 10 / **4** 11
corrispondere* (a) **1** 10
corso di formazione **8** 2
cosa **1** 8
coscienza **2** 1
costante **3** 2 (E)
costituzione fisica **7** 9
costringere* (qu. a + *inf.*)
   2 12
cotto **6** 1 (E)
creare **1** 1
creativo **8** 5
crema solare **7** 2
crespo **3** 8
cretino **10** 1 (E)
criceto **2** 1
criticare **6** 12
crudo **6** 12
cucina a gas **9** 1 (E)
cucinotto **9** 1
cucire **3** 6
cugino/-a **1** 2
culinario **6** 8
cultura **1** 4
cura **2** 6 / **7** 1 (E)
curare **7** 1 (E)
curato **3** 2 (E)
curiosità **10** 4
curioso **3** 2 (E) / **10** 5
curriculum (vitae) **8** 1
custodia **5** 5

da bambino/-a **2** 8
da grande **2** 12
da parte di **1** 1 (E)
da piccolo/-a **2** 0
da poco (tempo) **1** 12
da quando **7** 6
da una parte ... dall'altra
   6 11
da una parte all'altra **4** 11
dado **1** 10
dalle mie/tue parti **9** 2
danza **6** 1
dappertutto **3** 11
dare* **1** 8
dare* un consiglio **3** 14
dare* fastidio a **4** 13
dare* su **9** 5
data di nascita **8** 1 (E)
dati personali **8** 1 (E)
dato **1** 14
davvero? **5** 2
decidere* **4** 6
decidere* (di) **5** 7
decidersi* (a) **1** 8
decisione **3** 2 (E)
dedicare **6** 1
dedicarsi (a) **1** 8
definire (*-isc*) **9** 1
definito **5** 5
delfino **2** 1
delizioso **9** 1
dente **2** 12
dentista **7** 1
deserto **3** 11
desiderio **3** 14
destinare **9** 1 (E)
determinato **8** 1
dettagliatamente **5** 5
di interesse artistico **5** 1
di per sé **9** 2
di più **2** 12
di seguito **1** 2
di sotto **3** 8
diario di viaggio **5** 1
Dici sul serio? **5** 9
dieta mediterranea **6** 11
dietrofront **1** 1
difficile **3** 2 (E)

diffuso **2** 2
digerire (*-isc*) **6** 8
dimagrire (*-isc*) **6** 2
dimmi pure **5** 2
dipingere* **9** 7
diploma **8** 1
diplomarsi **8** 6
direttamente **9** 2
disastro **10** 9
disavventura **5** 9
discussione **5** 1
disgrazia **3** 8
disgraziato **10** 1 (E)
dispiacere **5** 9
disponibile a **8** 1
disponibilità **8** 1
dissuadere* **9** 10
disturbo **7** 2
dito (*pl.* le dita) **7** 2
divano **9** 1 (E)
diversi (*pl.*) **2** 1
diversificato **6** 11
diverso **2** 8
divertente **3** 4
dividersi * **3** 17
docente **8** 1
dolcezza **3** 2 (E)
dolci (*pl.*) **6** 1
domanda **8** 6
dopo **5** 5
dopo che **3** 8
dubbio **8** 12
durata **5** 1 (E)
duro **6** 2 (E)
è da ieri che **7** 2
è da tanto tempo che ...
   1 8
è da un secolo che ... **1** 8
e pensare che **10** 1 (E)
è tratto **10** 6
è una questione di ... **6** 3
e via **6** 11
È un peccato! **2** 3
ebbene **1** 8
eccessivo **8** 13
eccitato **5** 5
economico **1** 4
efficace **7** 1 (E)

egregio dottor ... **8** 6
elaborare dei dati **7** 1 (E)
elencato **1** 14
elenco **1** 2
elettrodomestico **9** 5
elevato **8** 13
emergere* **7** 1 (E)
emotivo **3** 2 (E)
entrare **5** 7
entro **1** 14
episodio **4** 15
equamente **8** 14
equitazione **5** 4
esagerare **6** 3
esattamente **5** 1
escludere* **3** 11
escluso **2** 12
esercizio fisico **7** 9
esigente **3** 2 (E)
esistere **3** 16
esperienza personale
   1 2 (E)
esperienze professionali
   8 1 (E)
esporre* **4** 1
esprimere* **2** 9
esprimere* un desiderio
   3 14
essere* **2** 1
essere* adatto a **2** 3
essere* bravo in **2** 12
essere* contrario (a qc.)
   2 6
essere* d'accordo
   (con qu.) **2** 6
essere* in giro **2** 3
essere* legato (a) **1** 14
essere* a dieta **4** 5
essere* al verde **4** 3
essere* alla ricerca di **3** 11
essere* d'obbligo **4** 11
essere* in coda **10** 6
essere* in corso **10** 2
essere* in crescita **6** 11
essere* interessato a **8** 6
essere* lieto di **8** 6
essere* schiavo di **8** 13
essere* stanco di **5** 7

essere* un grissino 6 3
estero 8 2
estivo 7 9
estraneo (a) 3 2 (E)
estremamente 7 1 (E)
estroverso 3 16
etichetta 6 8
ettaro 5 4
europeo 8 13
eventuale 8 6
evidente 8 13
evidentemente 7 6
evitare (di) 1 1 (E)
fa 1 8
faccende (pl.) 3 8
faccia 3 8
facciamo 4 8
facile 3 11
facilmente 3 2 (E)
facoltà 4 3/8 3
falso 1 4
famiglia allargata 1 14
famiglia di fatto 1 14
familiare (sost.) 1 6
familiare (agg.) 8 13
fantasia 1 8
fantasticare 3 2 (E)
fantastico 9 2
far(e)* notare 4 11
farcela* (a fare qualcosa) 3 4
fare* le fusa 2 1 (E)
fare* notizia 1 1
fare* + inf. 1 1 (E)
fare* conoscere a 6 8
fare* la fila 4 3
fare* le proprie cose 5 2
fare* male 7 2
fare* un pasto caldo/ freddo 6 5
fare* un pasto veloce 6 1
fare* un'ipotesi 3 14
fare* una proposta 3 14
fare* vedere 7 2
farfalla 2 1
farsi* coraggio 10 6
farsi* largo (tra) 5 5
farsi* sentire 1 8

fastidioso 4 11
fatica 8 2
faticaccia 9 5
fattoria 2 4
favorevole (a) 2 7
favorire* 8 13
fazzoletto 3 8
femmina 1 14
fenomeno 1 14
fermarsi 5 7 / 7 9 / 9 5
festicciola 2 12
fettina 6 11
fianco 3 8
fidanzato 3 11
fidarsi di 3 2 (E)
fiducioso 3 2 (E)
figlio unico 1 4
Figurati! 3 11
fila 4 1 (E)
finalmente 10 2
finta tigre 3 8
fiore 5 7
firma 8 12
fisica 1 12
fisiokinesiterapia 7 1
fissare un appuntamento 4 10
fitoterapia 7 1 (E)
fiume 9 5
flessibile 3 11
folla 5 5
folle 10 1 (E)
fondamentale 9 2
forma 1 5 / 8 12
formazione 8 2
fornire (-isc) 8 6
forno 6 1 (E)
forte 2 1
fortuna 8 5
fotografia 3 7
fragile 3 2 (E)
fratelli (pl.) 1 2
fratello 1 1
frigorifero 3 15
frutteto 5 4
fuori 5 5
futuro 8 2
galante 3 2 (E)

gamba 3 8
gatta 2 1 (E)
gatto 2 1
geloso 3 2 (E)
gemelli (pl.) 3 1 (E)
generalmente 1 9
generoso 3 16
genitori (pl.) 1 1
gentile 3 2 (E)
gestire (-isc) 8 9
ghepardo 2 1
giardinaggio 1 12
ginocchio
   (pl. le ginocchia) 7 2
giocatore 1 10
giornalista 8 1 (E)
giorno di riposo 8 13
girare 7 1
giurare 10 2
giusto 3 2 (E)
gonfio 3 8
grano (pop.) 10 1(E)
grassi 6 4
grasso 3 1 / 6 2 (E)
Grecia 5 5
grissino 6 3
guadagnare 1 10
guarda che 4 3
guida 4 11 / 5 4
guida turistica 8 6
guidare 5 6
guscio 3 2 (E)
idea 3 2 (E)
ideale 3 16
identificarsi (con) 2 1
il più giovane 1 4
immaginare 1 4 / 1 13
immagine 5 5
impegnato 7 13
impegno 4 3
impiego 8 1
importanza 6 11
impresa 8 3
impressione 9 12
imprevisto (sost.) 3 2 (E)
impulsivo 3 2 (E)
in 1 1
in affitto 9 1

in base a 9 5
in bianco 7 2
in braccio 1 8
in campagna 2 3
in carriera 1 1
in effetti 1 1 (E)
in fila 4 7
in fondo 2 12
in gamba 1 8
in genere 6 1
in maggioranza 2 1
in media 8 13
in occasione di 8 6
in ogni modo 7 9
in ordine sparso 8 1 (E)
in particolare 4 1
in piedi 6 8
in plenum 1 11
in prevalenza 7 1 (E)
in prima persona 4 15
in proprio 8 9
in questione 8 6
in riferimento a 8 6
in stile 9 1
in un certo senso 2 12
in vita mia 5 5
incompleto 1 2
incontro 1 1
incredibile 1 8
indagine 7 1 (E)
indeciso 5 7
indicare 1 10 / 3 11
indicazione 5 4
indipendente 3 2 (E)
indirizzarsi (su) 2 1
individualmente 2 5
individuare 1 8
infanzia 2 4
infatti 4 8
infinito 10 6
informare 1 8
informatica 8 5
ingegneria 8 3
ingrassare 7 5
iniziare 6 11
insipido 6 1 (E)
instaurare un rapporto 7 1 (E)

integratore dietetico 6 6
intelligente 2 3
intensità 8 13
intenzione 10 6
interessi *(pl.)* 3 2 (E)
intervistato/-a 3 16
intitolato 2 14
intorno a 5 1 (E)
intorno 5 5
intraprendente 3 2 (E)
intruso 3 2
inusuale 10 5
inventare 1 3 / 2 12
inviare 8 6
ipotesi 3 6
irritabile 3 2 (E)
irritazione alla pelle 7 2
iscriversi* a 7 13
isolato 9 1
istinto 5 1
La sai l'ultima? 10 4
là 2 1 (E)
labbro *(pl.* le labbra) 7 2
laborioso 3 2 (E)
lamentarsi 6 12
lanciare il dado 1 10
lancio 1 10
largo di fianchi 3 8
lasciar(e) perdere 3 4
lasciare 1 8 / 2 12 / 3 11
lasciare stare 8 9
laurea 8 1
laurearsi 1 8
lavabo 9 1 (E)
lavandino 6 8
lavoratore 3 16
lavoratrice 8 13
lavoro dipendente 8 13
lavoro indipendente 8 13
legumi *(pl.)* 5 4
lentamente 7 9
lento 3 2 (E)
leone 2 1
libreria 9 1 (E)
liceo linguistico 8 6
liceo scientifico 8 1 (E)
lido 2 8
limitare 6 4

lingua straniera 3 6
linguaggio 10 6
linguistico 8 5
liscio 3 1
lista di nozze 1 1 (E)
lite 2 12
litigioso 3 2 (E)
livello 9 5
livello culturale 7 1 (E)
locale 6 8
locale notturno 3 2 (E)
localino 10 9
loquace 2 12
loro (il) 1 8
luminoso 9 2
luogo di nascita 8 1 (E)
luogo 4 11 / 5 1
Ma che vuoi fare? 1 8
Ma dai! 5 9
Ma non mi dire! 5 9
Macché! 7 6
macchia 2 1 (E)
macchina fotografica 5 1
madre 1 2
magari! 5 2
maggior parte 2 1
maggioranza 2 1
maggiore (il) 1 10
maggiore 8 9
magro 3 1
mai 6 7
mai e poi mai 1 8
malato 2 12
malattia 2 12
male 5 3
maleducazione 4 15
malinconia 2 12
mammismo 1 14
mammone 1 4
mancante 2 10
mancare (di) 3 2 (E)
mangiare/ bere* per tre
    10 9
manifestazione 4 2 (E)
manifesto 6 10
mano *(pl.* le mani) 7 2
mansarda 9 1
mantenere* 4 11

maschile 3 16
maschio 1 14
massaggio 6 6
massimo 8 1
master 3 4
materia 2 13
maturità 8 1 (E)
max 8 1
meccanico 4 8
medicina 7 1 / 7 7
medicinale 7 4
mediterraneo 6 11
memoria 3 2 (E)
mens sana 7 0
mensa 6 1
menzionare 1 14
merendina 6 11
messicano 6 11
metro quadrato 9 2
mettere* 7 2
mettere* da parte 5 5
mettere* in ordine
    cronologico 10 6
mettersi* a + inf. 10 9
mettersi* a letto 7 3
mettersi* d'accordo 4 8
mettersi* in proprio 8 9
mezzo di trasporto 5 1
mi gira la testa 7 1
mi sa che 8 9
mi va (di + *inf.*) 3 8
migliorare 8 13
migliore 3 10
migliore 7 6
militare assolto 8 1
minuto 7 5
mio (il) 1 5
mobile 9 1
mobiletto 9 5
modificato 10 6
modo 6 1
mondo 3 2 (E)
mondo del lavoro 8 0
monolocale 9 1
monumento 4 11
mortale 2 12
moto 5 5
motocicletta 3 6

movimento 5 1
muovere* 4 11
muro 2 1
muscolo 7 12
muso 2 1 (E)
nascita 8 1 (E)
nascondere* 3 8
natura 3 2 (E)
nave 5 1
né … né 3 2
necessariamente 2 8
necessario 8 5
nel corso di 2 12
nel giro di 6 11
nel rapporto con 1 14
nel senso che 2 8
nemico 3 2 (E)
nervoso 3 2 (E)
nessuno 3 11
nevicare 10 6
niente + *sost.* 2 6
niente 10 2
nipote 1 1
nipoti *(pl.)* 1 1
no 2 12
No? 1 8
noce 5 4
noia 2 12
noioso 3 4
noleggiare 5 7
nominare 3 11
Non ce l'ho fatta! 3 4
non è il massimo 8 2
non è vero 2 3
non importa 7 9
Non mi dire! 10 2
Non vedere l'ora di 8 9
nonni *(pl.)* 1 1
nonno/-a 1 2
nostro (il) 1 8
notare 1 11
notevole 7 1 (E)
notizia 1 1
noto 2 12
notturno 3 2 (E)
novità 1 8
nozze *(pl.)* 1 1 (E)
nubile 8 6

A

puntare la pistola 10 1 (E)
puntato in cima 3 8
punteggiatura 10 6
punto 1 10
punto di vista 9 10
puntuale 4 11
può darsi 7 2
quadro 4 11
qualcun'altro 3 11
qualità 3 16
quando 2 3
quantità 5 5
quanto 3 8
quanto 7 1 (E)
quanto tempo? 5 1 (E)
questionario 5 1
questione 6 3
quindi 4 11
raccogliere* 2 12
racconto 2 12
raffreddore 7 2
ragazzo 1 4
raggiungere* 5 1 (E)
ragione 7 1 (E)
ragionevole 3 2 (E)
rapporto 1 14 / 8 13
rappresentare 7 1 (E)
rappresentazione 4 1 (E)
reagire (-isc) 3 15
realista 3 2 (E)
recente 6 11
receptionist 8 1
redigere* 8 13
regalare 1 1 (E)
regia 4 1
regista 4 1
registrazione 1 14
regola 6 3
regolare (agg.) 3 2 (E)
regolarmente 6 2
relativo 1 10
rendere* + agg. 3 2 (E)
replica 4 1
requisito 8 1
responsabilità 8 9
restituire (-isc) 4 10
resto 10 6
riaccompagnare 4 8

riassumere* 4 1
riccio 3 1
ricco 8 5
ricercare 8 1
ricevere 1 1 (E)
richiedere* 8 1
riconoscere (-isc) 2 3
ricordare (a qu. di + inf.)
    2 3
ricordarsi 2 12
ricordo 2 12
riduzione 4 3
riempire (di) 5 5
riempirsi di 7 9
riferire (-isc) 2 2
rifiutare 4 3
riflettere 1 9
riguardare 1 2
rilassarsi 7 4
rimedio 7 1 (E)
rinnovare 9 2 (E)
riparare 4 10
ripartire 5 7
ripensare (a) 2 12
ripido 9 5
riposo 4 1
risalire* (a) 2 12
rischiare di 6 8
rischioso 9 9
riscoprire* 6 8
risiedere 8 6
risparmiare 10 6
rispondere* 1 1 (E)
rispondere* di sì/ di no
    7 6
ristorazione 5 4
ristrutturare 9 1
risultato 2 2
ritenere* 1 14
ritmo 8 13
ritrovare 6 8
ritrovarsi 1 1
riuscire* (a) 1 8
rivista 8 1 (E)
rivolgersi* a 7 2
Roba da matti! 5 9
romanzo 2 12
rompere* 2 6

rompersi* 5 3
rotondo 10 6
rotto 5 9
ruga 3 8
rumore 2 3 / 4 11
ruolo 7 13
sacca della spesa 3 8
sacco a pelo 3 11
saggio 3 2 (E)
sagittario 3 1 (E)
salire* 8 13
salone 9 1
salsa 6 2
saltare un pasto 6 1
salute 7 12
salvare 6 8
sano 6 2 (E)
sapere* 3 4 / 4 1 (E)
sapore 6 2 (E)
sbagliarsi 9 2
sbrigarsi 8 9
scalata 2 12
scale (pl.) 9 5
scambiare 9 8
scambiarsi una parola
    10 2
scandinavo 5 5
scattare una fotografia
    8 13
scelta 9 8
scena letteraria 10 6
schermo 4 11
schiaffo 10 1 (E)
schiena 7 1
scienze politiche 8 1 (E)
scomparire* 6 8
sconosciuto 6 11
scoprirsi* 7 9
scorpione 3 11
scottarsi 7 1
scovare 10 1 (E)
scritto 8 1 (E)
scrittore 5 5
scrittrice 2 12
scrivania 9 1 (E)
scuola di lingue 8 6
scusa 7 12
secolo 1 1

secondo (agg.) 3 11
secondo (sost.) 10 6
secondo (prep.) 2 1
sede 8 1
sedersi* 10 6
segnando 1 9
segnare 1 4/1 9
segno zodiacale 3 1 (E)
segreteria 8 1
segreto 6 10
seguente 1 4
selezione 4 1
Sembra facile! 3 11
sensazione 2 12
sensibile 3 4
senso 2 8
senso pratico 3 2 (E)
sentire 1 8 / 2 12
sentirsi 2 12
serie 6 11
serio 3 2 (E)
serpente 2 1
servire 7 2 / 10 1 (E)
servizi (pl.) 9 1
servizio 8 1
servizio militare 8 1
sete 7 7
settore 6 11
severo 2 12
sfogliare 10 2
sfortuna 5 9
sfuriata 2 12
sia ...che 7 9
siccome 1 8
sicuramente 4 11
sicuro 3 16 / 6 8
sicuro di sé 3 2 (E)
significare 2 8
significato 1 14
silenzioso 9 5
simpatico 3 4
simulare 4 2 (E)
sinceramente 5 2
singolo 5 5
sistema operativo 8 1 (E)
sistemazione 5 1
situazione 3 14
snob 3 2 (E)

socievole 3 2 (E)
socio 8 9
sociologo/ -a 1 4
soffitta 2 1 (E)
soffrire* 2 3
soldi (pl.) 1 1 (E)
solido 3 2 (E)
solo 1 1
solo 3 8
soltanto 6 11
soluzione 9 7
sondaggio 2 2
sopportare 3 11
sopra 1 14
sorella 1 1
sorridere* 2 1 (E)
sospettoso 3 2 (E)
sostenere* 2 6 / 6 8
sottile 9 5
sotto 1 14
sotto pressione 8 13
sottolio 5 4
sottovalutare 7 9
sovrappeso 6 4
spalla 3 8
sparare 10 1 (E)
spazio 2 1
specchio 9 1 (E)
specializzazione 8 1 (E)
specialmente 10 6
specie 2 1
spegnere* 4 11
sperare 9 5
spett.le (abbr. spettabile) 8 6
spezie (pl.) 5 7
spiegare 1 14
spoglio 9 7
sporcare (intr.) 2 6
sporco 5 9
sposarsi 1 8
sposato 1 4
sposi (pl.) 1 2 (E)
spuntino 6 11
squadra 7 5
squagliarsela 10 1 (E)
squisito 6 1 (E)
staccare gli occhi da 10 6

stage 8 1 (E)
Stai scherzando? 3 11
stancarsi 3 2 (E)
stanza 9 1
stare* 3 2 (E)
stare* al sole 7 1
stare* bene 2 12
stare* male 2 12
starnutire (-isc) 4 11
stato civile 8 1 (E)
stella 2 1 (E)
stesso 8 13
stirare 3 8
stomaco 7 1
storia 10 7
storia dell'arte 8 3
strada 5 5
strano 7 2
stregare 10 1 (E)
stress 6 8
struttura 8 13
studi (pl.) 1 8
studio 1 1 / 8 9 / 9 1
studio medico 7 1
studio pubblicitario 3 4
su due piedi 3 11
succedere* 5 10
sugo 6 1 (E)
sul momento 3 8
sul serio 8 2
sulla base di 4 6
suo (il) 1 5
suoceri (pl.) 1 8
suocero/-a 1 8
suonare (intr.) 2 1 (E)
suonare 8 12
suono 5 5
superficiale 3 2 (E)
superstizioso 3 2 (E)
supporre* 9 8
svantaggio 7 2 (E)
svegliare 2 3
tabella 1 2
taccre* 10 1 (E)
tanto 10 6
tappeto 9 1 (E)
targhetta 10 6
tartaruga 2 1

tartina 4 10
tavola 6 8
taxi 5 7
tazza 6 5
tecnico 8 10
telefonicamente 4 1 (E)
tema 2 12
temere 2 1
tenace 3 2 (E)
tenda canadese 5 5
tenere* 9 9
tenere* al corrente 1 8
tenere* conto di 9 3
terrazza 9 1
terrazzo 9 1
terribile 5 7
terribilmente 3 2 (E)
terrore 10 1 (E)
tesoro 3 2 (E)
testa 3 8
testardo 3 2 (E)
tigre 2 1
timido 3 4
tingere* 3 8
tipo 2 12
tipo 3 4
titolo di studio 8 1
tormentare 2 12
tornare a casa 1 1
tornare indietro 5 5
tornare su 2 1 (E)
toro 3 1 (E)
tortillas 6 11
tortura 7 9
tossico 7 1 (E)
tossire (-isc) 4 11
totale 7 1 (E)
tra l'altro 1 8
tra le quattro mura
   domestiche 2 1
tradizionalista 6 13
tradizione 1 14
traduzione 8 1 (E)
traffico 1 1
traghetto 5 1 (E)
tramite 8 13
tranquillità 5 1
trascorrere* 2 4

trasferirsi* 1 8
trasformare 5 7
trasformarsi (in) 2 1
trattamento 8 13
trattare 6 8
trattarsi di 3 3
tratto 5 5
tremendo 2 12
tresette 10 1 (E)
trionfo 6 11
triplicare 7 1 (E)
trovare 1 3
trovarsi 5 2 / 6 8
trovarsi di fronte 5 5
turistico 3 2
turno 8 1 / 10 6
tutte e due le cose 2 12
ubriaco 10 10
uccello 2 1
ulteriore 8 6
ultimamente 7 13
un po'… un po' 1 4
un po' di vita 9 2
un po' poco 6 3
una cosa 5 2
una specie di 10 6
unico 1 4
uno su quattro 1 1
uso 5 6
utile 4 11
va bene 4 3
vanitoso 3 4
vantaggio 7 2 (E)
variare 4 1 (E)
variare la dieta 6 2
vasca da bagno 9 1 (E)
vassoio 10 6
vecchio 1 8
vedersi* 4 8
vegetariano/-a 6 1
velocemente 6 1
vendesi 9 1
venire* in mente 3 11
venire* a prendere 4 8
venire* a trovare 1 8
venire* fame 10 6
veramente 2 8
verde 9 2

vergine 3 1 (E)
verificare 2 1 (E)
vero 1 4
versione 10 7
verso 5 7/10 4
vetro 4 10
viaggio individuale 5 1
viaggio organizzato 5 1

vicenda 4 1
vicino 9 5
videocamera 5 1
videocassetta 4 10
villaggio turistico 5 2
violino 3 4
visto che 8 9
vitalità 3 2 (E)

vivere* 4 15
viziare 2 3
vocabolo 1 10
voce 4 11
voce narrante 4 2 (E)
volerci* 5 1 (E)
volume 2 12
votazione 8 6

vuoto 3 15
water 9 1 (E)
zaino 5 1
zio/-a 1 2
zuccherato 6 3
zuccheri (pl.) 6 4

Qualcosa in più

a loro dedicati
a parte
a seconda
a totale insaputa
abitualmente
al meglio
ambiente
amministrare
appartenere*
appeso
arredo libero
aspetti organizzativi
associazione
calore
canale
carico
catalogo di arredamento
cause esterne
centinaia
centrale
cespuglio
classe sociale
colpire (-isc)
comune
comunità virtuale
concentrarsi
concessione
condurre*
confezione
  monoporzione

coordinato
coperti di cellofan
corteggiare
curato
di sezione in sezione
discretamente
disposto
divertito
dominante
erbe odorose
esigenza
essere* d'aiuto
fare* il bis
finché
gratuito
identità
illustrare
immancabile
immerso
immortalare
in solitario
in sostanza
indicazione
inorridire (-isc)
insomma
intervistatore
inutile
iscritto
luogo di rappresentanza
maggiormente

mancanza
metodo
migliaia
mirato
moltiplicarsi
necessità
nello stesso tempo
nominare
non vissuto
occupazione domestica
orgogliosamente
ossessione
ostacolo
pensiero
perché non si sporchino
pesare
pezzo d'arredamento
pietra rustica
poster
prato
prevalere*
pubblicità patinata
punto
raggruppare
rassomigliare
Rete
ricercatrice
ricevere
risultare
riviste specializzate

salone del mobile
sbrigare gli impicci
scatto
scelta di vita
schiera
segno
selezionato
senso di appartenenza
separazione
serie
servizi
società dei consumi
soggiornare
solitario
sporcarsi
stoffa
stracolmo
stradina
teatrino domestico
telefilm
tenue
tipologia
togliere* una macchia
trasmettere*
trionfare
ulivo
usa e getta
visto

SOLUZIONI DEGLI ESERCIZI

LEZIONE 1

1

2

Vivi da solo?

Sì, e tu?

Anch'io. I miei vivono a Lucca.

E hai fratelli?

No, sono figlia unica. E tu?

Io ho un fratello e una sorella.

Più grandi o più piccoli di te?

Mia sorella è più grande e mio fratello più piccolo.

Ah. E vivono da soli o con i tuoi?

Mio fratello vive da solo, mia sorella, invece, vive ancora con i miei.

3

1. il fiume più lungo/b; 2. l'università più antica/c;
3. la città più grande/c; 4. il monte più alto/b;
5. la regione più piccola/a

Bravo, conosci bene la geografia!

4

1. COGNATO, 2. NIPOTE, 3. CUGINA,
4. SUOCERO, 5. SUOCERA, 6. ZIO
Soluzione: GENERO

5

1. I nostri; 2. Tua; 3. la mia; 4. I tuoi; 5. i vostri; 6. suo, il suo; 7. la vostra; 8. I miei; 9. il vostro; 10. i tuoi o i miei

6

Mia, sua, mia, Mio, i miei, Mia, le sue, i miei

7

1. f/i; 2. c/e; 3. b/h; 4. g/l; 5. a/d

8

1. I miei; 2. le tue; 3. mia; 4. la loro; 5. il Suo;
6. il vostro/la vostra; 7. i tuoi/i nostri; 8. la mia, miei;
9. il tuo; 10. La tua

9

Luca e Daniele si sono trasferiti in città.

Mia sorella si è sposata con un mio compagno di classe.

Roberto si è arrabbiato perché la sorella gli ha preso la macchina.

Voi vi siete alzati presto questa mattina.

Io e Claudio ci siamo incontrati per caso in treno!

Io mi sono laureata in matematica due settimane fa.

10

1. si sono divertiti; 2. mi sono riposato/-a; 3. ha preso, si è alzata, ha perso; 4. si è dedicato; 5. vi siete sposati;
6. sono andati; 7. ho cambiato; 8. ti sei arrabbiato

11

1. Allora; 2. invece; 3. comunque; 4. Forse;
5. siccome; 6. Tra l'altro

LEZIONE 2

1

1. TARTUGA, **2.** CANE, **3.** CAVALLO,
4. SERPENTE, **5.** LEONE, **6.** FARFALLA, **7.** GATTO
Soluzione: UCCELLO

3

trascorrevo, piaceva, abitavano, dormivo, si alzava,
andava, tornava, cominciava, mi alzavo, andavo,
Amavo, preparava

2

	io	tu	lui, lei, Lei	noi	voi	loro
giocare	giocavo	giocavi	giocava	giocavamo	giocavate	giocavano
studiare	studiavo	studiavi	studiava	studiavamo	studiavate	studiavano
svegliarsi	mi svegliavo	ti svegliavi	si svegliava	ci svegliavamo	vi svegliavate	si svegliavano
vedere	vedevo	vedevi	vedeva	vedevamo	vedevate	vedevano
capire	capivo	capivi	capiva	capivamo	capivate	capivano
partire	partivo	partivi	partiva	partivamo	partivate	partivano
essere	ero	eri	era	eravamo	eravate	erano

4

1. andavi; 2. si chiamava, avevi; 3. eravamo,
Giocavamo; 4. abitavano; 5. accompagnava;
6. piacevano; 7. c'era; 8. vivevate; 9. leggevo, guardavo

5

Prima scrivevo solo lettere.
Prima mangiavo spesso a casa.
Prima andavo solo in campeggio.
Prima prendevo sempre la bicicletta.
Prima compravo tutto al mercato delle pulci.
Prima ascoltavo solo musica rock.
Prima viaggiavo solo in treno.

6

1. Ogni sera mia madre ci leggeva qualcosa.
2. Di solito la domenica pomeriggio mio padre
   ci portava al cinema.
3. D'estate i nostri genitori ci portavano in campagna.
4. Qualche volta andavamo a trovare i nonni in
   montagna.
5. Quando ero piccolo avevo un cavallo.
6. Da bambino andavo a scuola in bicicletta anche
   d'inverno.
7. Da piccolo non mi piaceva la verdura.
8. Spesso io e mia sorella giocavamo insieme ai
   nostri cugini.

7

1. Prima; 2. Da piccolo; 3. di solito; 4. Ogni anno;
5. Normalmente

8

1. è partita/c; 2. siamo andati/e; 3. sono venuti/d;
4. è arrivato/b; 5. ho preso/a

9

Descrizioni, abitudini:
ero, odiavo, mi piaceva, avevo, stavo, guardavo,
leggevo, mi annoiavo, mangiavo, venivano, giocavo,
mi divertivo

Azioni successe una volta sola:
ho incontrato, mi sono innamorato, ho cominciato,
ho cominciato, ho imparato

10

Ci, ci, mi, gli, Ci, ne, la, ti, gli, mi, ci

11

1. vivevo, mi sono trasferito; 2. è nata, ha vissuto;
3. faceva; 4. piaceva, ho fatto; 5. cucinava, ha
cucinato, ha fatto, era, siamo andati; 6. ha abitato;
7. è andata, aveva; 8. facevo, sono diventato

LEZIONE 3

1

1. forse; 2. sì; 3. forse; 4. sì; 5. no; 6. sì; 7. forse

2

1. aperta; 2. noioso; 3. simpatica; 4. magro; 5. brutta;
6. ricci

3

1. ce la faccio; 2. ce l'ha fatta; 3. ce la faccio;
4. ce la fate; 5. ce la fa; 6. ce l'abbiamo fatta

4

1. è finito; 2. hai già cominciato; 3. è cambiata;
4. hai già finito; 5. hai già cambiato; 6. sono già finite;
7. è già cominciato; 8. Ho cominciato, ho ancora finito;
9. ho finito, ho già cominciato

5

1. sa; 2. posso; 3. sa; 4. può; 5. sa

6

1. b; 2. a; 3. b; 4. b; 5. b; 6. a; 7. b

7

1. se ne va; 2. me ne sono andata; 3. se ne è appena andata; 4. ce ne siamo andati; 5. se ne va; 6. Ve ne andate

8

Possibile soluzione:

Alida ha 23 anni come María. È bionda come Massimo. Ha gli occhi azzurri come Pedro. È meno alta di María. Pedro è spagnolo come María. Ha i capelli neri come María. Ha gli occhi azzurri come Alida. È meno alto di Massimo. Massimo è italiano come Alida. È biondo come Alida. Ha gli occhi castani come María. María ha 23 anni come Alida. È spagnola come Pedro. Ha i capelli neri come Pedro. Ha gli occhi castani come Massimo. È meno alta di Pedro.

9

	io	tu	lui, lei, Lei	noi	voi	loro
andare	andrei	andresti	andrebbe	andremmo	andreste	andrebbero
avere	avrei	avresti	avrebbe	avremmo	avreste	avrebbero
cercare	cercherei	cercheresti	cercherebbe	cercheremmo	cerchereste	cercherebbero
dovere	dovrei	dovresti	dovrebbe	dovremmo	dovreste	dovrebbero
essere	sarei	saresti	sarebbe	saremmo	sareste	sarebbero
mangiare	mangerei	mangeresti	mangerebbe	mangeremmo	mangereste	mangerebbero
potere	potrei	potresti	potrebbe	potremmo	potreste	potrebbero
preferire	preferirei	preferiresti	preferirebbe	preferiremmo	preferireste	preferirebbero
venire	verrei	verresti	verrebbe	verremmo	verreste	verrebbero
volere	vorrei	vorresti	vorrebbe	vorremmo	vorreste	vorrebbero

10

Ingegner Vinci, potrebbe firmare queste lettere?
Gianluca, mi daresti una mano a riparare la bicicletta?
I tuoi genitori ci darebbero sicuramente la loro macchina.
Io preferirei andare al cinema.
Noi vorremmo vedere la camera.
Voi eventualmente potreste arrivare un po' prima?

11

1. vorrebbe; 2. daresti; 3. piacerebbe; 4. potrebbe;
5. dareste; 6. potrebbero; 7. potremmo; 8. verrebbe;
9. presteresti; 10. porterebbe

12

1. richiesta gentile; 2. consiglio/proposta;
3. supposizione; 4. desiderio; 5. consiglio/proposta

13

1. abiterei; 2. starebbe; 3. direbbe; 4. potrei; 5. verrei;
6. dovreste; 7. metterei; 8. daresti

LEZIONE 4

1

Al cinema; A teatro/All'opera; Al museo; In discoteca;
In pizzeria

2

che programmi, sera, impegni, Perché, Hai voglia di,
volentieri, tempo, vedere, perfetto

3

Andrea-Dario; Anna-Amanda; Vincenzo-Beatrice

4

Martedì non posso perché devo accompagnare Catia
alla stazione.
Mercoledì non posso perché vado a teatro.
Giovedì non posso perché ho il corso d'inglese.
Venerdì non posso perché ho una cena di lavoro.
Sabato non posso perché vado alla festa di Riccardo.
Domenica non posso perché vado alla mostra di
Modigliani.

5

1. sta leggendo il giornale; 2. stanno bevendo
un cappuccino; 3. sta ascoltando musica; 4. si sta
facendo la doccia; 5. sta mangiando un gelato;
6. stanno giocando a carte; 7. sta andando in
bicicletta; 8. sta facendo la spesa

6

Senti, allora ci vediamo sabato mattina?
Sì, per me va bene.
E dove ci incontriamo?
Mah, io direi di vederci alla fermata della
metropolitana.
Ma no, dai, facciamo direttamente davanti al negozio.
OK, d'accordo, e a che ora?
Verso le 10.00?
Hmmm, facciamo alle 10.30.
D'accordo, a sabato, allora.

7

2. Ce le; 3. ce l'; 4. ce li; 5. Ce l'

8

1. l'ho invitato; 2. li hai messi; 3. l'hai portata; 4. l'ho
visto; 5. l'ho ancora chiamata; 6. le ho comprate

9

Luisa l'ho già invitata a cena.
Le giacche le ho già portate in lavanderia.
I biglietti non li ho ancora comprati.
La bolletta del telefono l'ho già pagata.
Il dentista non l'ho ancora chiamato.
La posta non l'ho ancora controllata.

10

2. Non puoi berlo tutto/non lo puoi bere tutto!
3. Dovete portarli/li dovete portare!
4. Non devi guardarla troppo/non la devi guardare
   troppo!
5. Posso lasciarla qui/la posso lasciare qui?
6. Puoi spegnerla/la puoi spegnere?

11

a. 4 ; b. 2; c. 3; d. 5; e. 1

12

1. Proviamo; 2. cerchiamo; 3. È d'obbligo; 4. evitare di;
5. cercare di

13

1. che; 2. con cui; 3. che; 4. a cui; 5. che; 6. di cui;
7. a cui; 8. in cui

LEZIONE 5

1

1. nave; 2. autunno; 3. guida turistica; 4. cellulare

2

Senti, Flavia, volevo chiederti una cosa.
Sì, dimmi pure.
Ho saputo che sei stata in un agriturismo.
Sì, in Umbria.
E come ti sei trovata? Perché sai, volevamo andarci anche noi quest'anno.
Guarda, noi ci siamo trovati benissimo. Il posto era splendido e per niente caro.
Ah, e senti, i bambini si sono divertiti?
Sì, tantissimo, anche perché lì c'erano molti animali e il lago non era lontano.
Ah, perfetto allora. Senti, non è che per caso hai l'indirizzo?
Sì, dovrei averlo da qualche parte.

3

1. c; 2. e; 3. a; 4. d; 5. b

4

1 Ho saputo, 2. hai conosciuto; 3. sono arrivato, conoscevo; 4. ha abitato, sapevi; 5. conoscevamo; 6. hanno conosciuto; 7. ho preparato, sapevo

5

1. a; 2. b; 3. b; 4. b; 5. b

6

siamo andati, Abbiamo fatto, volevamo, Avevo, ha detto, serviva, facevo, riempiva, Siamo arrivati, eravamo, conoscevamo, siamo riusciti, abbiamo portato, C'era, C'erano

7

ho deciso, mi sono trovato, Ho fatto, ho conosciuto, sono riuscito, era, erano, era, C'erano, è piaciuta, eravamo, voleva, poteva, ho partecipato, ho imparato

8

1. Oh, mi dispiace!; 2. Che guaio, mi dispiace!; 3. Roba da matti!; 4. Ma davvero?; 5. Davvero?

9

sei tornata; siamo arrivati; è andato; È stata; siete andati, abbiamo consigliato; c'erano, abbiamo trovato; era; faceva/ ha fatto; Siete andati; Volevamo, abbiamo deciso, abbiamo conosciuto, abbiamo fatto

10

1. ci vuole; 2. ci vogliono; 3. ci vuole; 4. vuole; 5. ci vogliono; 6. vogliono; 7. ci vuole

11

Possibile soluzione:
Buongiorno
Buongiorno, vorrei qualche informazione su Ischia.
Sì.
Come si raggiunge?
Beh, può arrivare con il treno fino a Napoli e poi da lì prendere il traghetto o l'aliscafo.
Quanto tempo ci vuole con il traghetto?
Un'ora e venti minuti.
Quanto costa più o meno?
5 euro.
Ci sono dei traghetti che partono il/di pomeriggio?
Sì, ce n'è uno che parte alle 14.25 da Napoli e arriva a Ischia alle 15.45.

12

1. in, in, a; 2. in, con; 3. di, da, alle, a, alle; 4. dell', in, a, per

LEZIONE 6

1

1° gruppo: riso, pasta, pane, cereali;
2° gruppo: insalata, frutta, carote, pomodori;
3° gruppo: pesce, latte, yogurt, formaggio, uova, carne;
4° gruppo: burro, cioccolata, gelato

2

non mangiare, non bere, bevi, non fumare, controlla, fa', va';
non restare, esci, va', fa', cerca, Organizza, invita

3

va'; abbi; di'; sii; fa'; da'; sta'

4

1. serve; 2. servono; 3. serve; 4. serve; 5. servono

5

Anche se hai poco tempo mangia tranquillamente.
I tuoi non sono a casa? Fa' ugualmente un pasto
completo e siediti a tavola!
Non dovresti guardare la TV quando sei a tavola!
Controlla bene i prodotti che compri!
È meglio spendere qualcosa in più, ma comprare
prodotti biologici.
Dovresti sostenere i prodotti tradizionali!

6

1. Scrivigli; 2. Aspettami; 3. Prendilo; 4. Preparala;
5. Comprali; 6. Comprale; 7. Portati

7

1. Falla; 2. Fallo; 3. Vacci; 4. Dalla; 5. Vacci; 6. Dillo

8

1. Hai già fatto la lista di quello che ci serve?
2. Credimi! Questo è quello che mi ha detto lui!
3. Un panino e una baguette, questo è quello che ho
trovato dal panettiere.
4. Uno yogurt? Questo è quello che mangi a pranzo?
5. Scusate, ma questo è quello che pensate voi.

9

1. svegliati; 2. falli; 3. aspettami; 4. Alzati; 5. trattati;
6. vienici; 7. falla; 8. sceglile

10

1. Un caffè nero; 2. Un ristorante etnico; 3. Cereali;
4. Uno spuntino; 5. Un pasto abbondante

11

1. c; 2. f; 3. b; 4. e; 5. d; 6. a

LEZIONE 7

1

1. Dall'oculista; 2. In farmacia/Dal medico;
3. Dal dentista; 4. In palestra/Dal fisioterapista

2

3

1. c; 2. e; 3. b; 4. d; 5. f; 6. a

la testa

l'occhio

il naso

l'orecchio

la bocca

il collo

la spalla

il braccio

la pancia

la mano

il dito

la gamba

il ginocchio

il piede

4

Tu
Ascolta questa canzone!
Scrivi le parole!

Nella forma del tu
i verbi in *-are* terminano in *-a*,
i verbi in *-ere* terminano in *-i*,
i verbi in *-ire* terminano in *-i*.

Lei
Entri pure!
Senta, scusi!
Prenda ancora un po' di vino!

Nella forma del Lei
i verbi in *-are* terminano in *-i*,
i verbi in *-ere* terminano in *-a*,
i verbi in *-ire* terminano in *-a*.

5

andare	vada	fare	faccia
avere	abbia	salire	salga
dare	dia	tenere	tenga
dire	dica	stare	stia
essere	sia	venire	venga

6

1. vada a letto; 2. legga un libro; 3. ordini una pizza;
4. faccia un po' di sport; 5. non stia troppo tempo
al sole; 6. chiami qualche amico; 7. faccia yoga;
8. prenda un'aspirina; 9. non mangi cose pesanti

7

1. Signora, non faccia la spesa in quel negozio!
2. Dica a Teresa di portare le cassette! 3. Mi faccia un
favore! 4. Le chiavi le metta nel cassetto! 5. L'acqua
non la compri gasata! 6. Venga, si accomodi! 7. I libri
li porti in biblioteca, per favore! 8. Le scarpe non le
compri troppo strette!

8

1. migliore; 2. migliore; 3. meglio; 4. migliore;
5. meglio; 6. meglio

9

1. ottima; 2. ottimo; 3. meglio, benissimo; 4. meglio;
5. ottimo, migliore

10

Quando pratichiamo uno sport dobbiamo scegliere
le scarpe giuste.
Gli italiani fanno più sport in estate che in inverno.
Bisognerebbe seguire lo sport più adatto a se stessi.
È importante chiedere consiglio al medico prima di
iniziare a praticare uno sport.
Se si fa sport, si dovrebbe bere molto.

11

fate, alzatevi, alzate, muovetevi, bevete, mangiate

12

1. sì; 2. sì; 3. no; 4. no; 5. no; 6. sì

LEZIONE 8

1

1. Ti sei laureato. 2. Darò una mano alla mia famiglia.
3. Bisogna essere gentili con tutti. 4. Oggi devo
studiare sul serio. 5. Questo lavoro non è il massimo,
ma ... 6. Ho studiato più o meno tre ore.

2

andrò, Resterò, mi trasferirò, vivrò, andrò, mi sposerò,
avrò, partirò, ritornerò

3

		¹s	²a	r	a	i		³c	o	⁴m	p	r	e	r	à		⁵p	⁶d	⁷p		⁸v
	⁹s	a	r	e	m	o				a							a	o	a		i
	¹⁰a	v	r	a	i				n	¹¹f							g	v	g		v
¹²a	r	r	i	v	e	r	a	i		g	a	¹³i					h	r	h		r
	a	v			¹⁴a	b	i	t	e	r	a	n	n	o			e	a	e		a
	n	e		¹⁵v	i	v	r	ò		¹⁶s	c	o	p	r	i	r	¹⁷a	i			
	n	r		¹⁸s	a	r	ò				e			ò			e	n			
	o	e	¹⁹f	²⁰a	r	a	i				g						t	d			
		m		²¹v	o	r	r	a	i	n		²²l	e	g	g	e	r	à			
	²³c	o	m	p	r	e	r	a	i		²⁴v	e	d	r	e	t	e		e		
				ò				²⁵s	t	a	r	a	n	n	o			t			
²⁶l	a	v	o	r	e	r	a	i	²⁷a	v	r	à	n	n	o			e			

Se andrai avanti così, imparerai benissimo l'italiano.

4

1. bisogna/d; 2. non bisogna/f; 3. bisogna/b;
4. non bisogna/e; 5. bisogna/a; 6. bisogna/c

5

1. sì; 2. no; 3. no; 4. no; 5. sì; 6. sì

6

	informale	formale
apertura della lettera:	Caro Alessandro,	Egregio dottor Sforza, Gentile signora,
parte centrale:	come stai?	Mi permetto di presentare domanda …
	Avrei una domanda da farti:	Le invio il mio curriculum.
	Hai l'indirizzo di …?	La ringrazio per l'attenzione.
	Grazie per l'informazione.	
chiusura della lettera:	A presto!	Le porgo i miei più cordiali saluti.

7

1. La vorrei invitare all'opera. 2. Le presto il mio.
3. La posso chiamare anche alle 7.30? 4. Le vorrei domandare una cosa. 5. La ringrazio tanto.
6. La vengo a prendere io.

8

1. aspetterò/d; 2. cercherò/f; 3. perderai/c; 4. finirò/b;
5. chiamerò/e; 6. potrai/a

9

1. avrà; 2. saranno; 3. arriverà; 4. saranno; 5. finirò;
6. ci vorranno

10

Ti, ne, ci, l', ti, mi, lo, mi, ne, Gli

11

1. Testo
a. Il prossimo rapporto dell'Unione europea sul lavoro sarà nel 2005.
b. Quasi la metà dei lavoratori europei soffre di stress.

2. Testo
a. Più del 50% dei lavoratori può decidere quando prendere i giorni di riposo.
b. Lo stress è causato soprattutto dal ritmo di lavoro.

3. Testo
a. I lavoratori autonomi lavorano quasi 50 ore alla settimana.
b. Ci sono 5 volte più donne che uomini che lavorano part time.

4. Testo
a. Gli uomini hanno impieghi di maggior prestigio rispetto alle donne.
b. Le faccende di casa sono ancora un lavoro tipico delle donne.

LEZIONE 9

 1

a. 4; b. 6; c. 1; d. 5

2

bella, bell', bel, bei, bei

3

	io	tu	lui, lei, Lei	noi	voi	loro
giocare	giochi	giochi	giochi	giochiamo	giochiate	giochino
vedere	veda	veda	veda	vediamo	vediate	vedano
capire	capisca	capisca	capisca	capiamo	capiate	capiscano
uscire	esca	esca	esca	usciamo	usciate	escano
sentire	senta	senta	senta	sentiamo	sentiate	sentano
mangiare	mangi	mangi	mangi	mangiamo	mangiate	mangino
avere	abbia	abbia	abbia	abbiamo	abbiate	abbiano
essere	sia	sia	sia	siamo	siate	siano

 4

1. sia, ci siano; 2. abbia; 3. si lamentino; 4. ci sia, amino

5

1. Mi sembra che l'appartamento non abbia un balcone. 2. Credo che si trasferisca per vivere accanto alle sorelle. 3. Mi sembra che insegni ancora in quella scuola. 4. Mi sembra che vogliano andare a vivere in campagna. 5. Credo che l'appartamento sia al quinto piano. 6. Penso che la nuova vicina lavori in casa.

6

1. arrivino; 2. sia; 3. portino; 4. ci siano; 5. funzioni; 6. ci vogliano; 7. abbiano

 7

1. no; 2. sì; 3. sì; 4. no; 5. no; 6. no; 7. sì; 8. no

 8

terzo, strette, ripide, primo, bella, vecchio, delizioso, preferita, bello, grandi, splendida, nuovi, arredata, moderna, sicura, vecchio, accogliente, tranquilla, poche, soli, sottili

9

1. aggiungendo; 2. alzandoti; 3. Vendendo; 4. mangiando; 5. mettendo

10

SOTTILE
BUIO
MODERNO
SILENZIOSO
CARO
GRANDE
FREDDO
STRETTO
PIENO
BRUTTO
BIANCO
Soluzione: STUDIANDO S'IMPARA

11

1. siano; 2. abbia; 3. è; 4. sia; 5. faccia; 6. viene, venga;
7. faccia

12

1. del; 2. che; 3. di; 4. che; 5. che; 6. di

13

1. LAVANDINO, 2. ARMADIO, 3. DIVANO,
4. POLTRONA, 5. TAVOLO, 6. LIBRERIA,
7. COMODINO, 8. SCRIVANIA, 9. SPECCHIO
Soluzione: LAVATRICE

LEZIONE 10

1

1. Mentre, 2. durante; 3. durante; 4. mentre

2

1. all'inizio; 2. All'inizio; 3. alla fine; 4. Finalmente

3

azione finita: ha aspettato; è arrivato;
ha spiegato; ha fatto; ha chiesto; non l'ha riconosciuta; ha
visto
azione in corso: era; leggeva; leggeva; guardava
azione che comincia mentre un'altra è ancora in corso:
è entrata

4

1. stava per fumare; 2. stavano ballando; 3. stava per
cenare; 4. stava leggendo; 5. stava suonando; 6. stavano
per uscire

5

hai fatto, Ho provato, era, l'ho lasciato, è successo, è
successo, ho rovinato, hai fatto, stiravo, è squillato, hai
lasciato, ero, ho deciso, sono arrivato, mi sono accorto,
mi sono accorto, c'era

6

1. d; 2. c; 3. a; 4. b

7

1. a / c / d; 2. c / d

8

è venuta, sono andato, sono sceso, Ero, leggevo,
pensavo, sono arrivato, c'era, riuscivo, volevo,
nevicava, è arrivato, ha guardato, ha detto, ho detto,
ha sorriso, ha corretto, ha detto, riuscivo

9

1. sono dovuto / e; 2. ho dovuto / a; 3. hanno voluto / d;
4. ho potuto / c; 5. è potuto / b

10

sono dovuta, è voluto, ho dovuto, ho dovuto, sono
potuta, è dovuta

11

1. arriva, chieda; 2. mangi, chiacchiera; 3. fumi;
4. chiami, domandi

INDICAZIONE DELLE FONTI

p. 16: statistica: da "la Repubblica", 28/3/2001

p. 20: testo: da "Repubblica.it", 28/7/2000

p. 26: testo da "E tu chi eri? 26 interviste sull'infanzia" di Dacia Maraini, © R.C.S. Libri

p. 28: canzone: "La gatta", musica e testo: Gino Paoli, © 1960 BMG Ricordi S.p.A.

p. 36: testo: da "La città e la casa" di Natalia Ginzburg, © Giulio Einaudi Editore, Torino

p. 58: testo: da "Due di due" di Andrea de Carlo, © Arnoldo Mondadori Editore, Milano

p. 72: testo: di Carla Cavaliere, da "L'Ambiente Cucina", 1999, a cura di Agepe

p. 82: testo: da "Salute", supplemento di "la Repubblica", 7/3/2001

p. 84: testo: per gentile concessione di "TV Sorrisi e Canzoni" n. 19/2001

p. 95: testo: da "la Repubblica", 7/8/2001

p. 103: foto b.: © Ikea - Deutschland

p. 113: testo: da "Amore mio infinito", © Aldo Nove 2000

p. 118: canzone: "Eri piccola così", testo di L. Chiosso, musica di F. Buscaglione, © 1958 by Melodi s.r.l. Casa Editrice

p. 123: per gentile concessione del Club Valtur

p. 124: testo: da "la Repubblica", 7/10/2000

p. 125: testo: da "la Repubblica", 23/6/2000

© Maria Balì, Monaco di Baviera (p. 17, p. 24, p. 114)

© Raffaele Celentano, Monaco di Baviera (p. 8 foto c., p. 9, p. 22, p. 33 a sinistra, p. 57, p. 80, p. 83, p. 100 a destra in basso, p. 103 foto a.)

© Celentano/laif (p. 57, p. 89)

© Alexander Keller, Monaco di Baviera (p. 8 foto a., b. d., e., f., p. 18, p. 35 foto b. – f., p. 37, p. 44, p. 54, p. 55, p. 58, p. 66, p. 67 in alto e in basso a destra, p. 70, p. 73, p. 76, p. 100 in alto e in basso al centro)

© Sonntag & Fritz Immobilien (p. 100 in alto a sinistra, p. 103 foto c.)

© Luciana Ziglio, Tesero (p. 35 foto a.)

Archivio-MHV: p. 46, 67 in basso a sinistra, p. 97, p. 103 foto di persone)

L'editore è a disposizione degli aventi diritto con i quali non è stato possibile comunicare nonché per eventuali involontarie omissioni o inesattezze nelle citazioni delle fonti.

Catalogo Alma Edizioni

Corsi di lingua

Espresso 1
corso di italiano
- *libro dello studente ed esercizi*
- *guida dell'insegnante*
- *cd audio*

Espresso 2
corso di italiano
- *libro dello studente ed esercizi*
- *guida dell'insegnante*
- *cd audio*

Espresso 3
corso di italiano
- *libro dello studente ed esercizi*
- *guida dell'insegnante*
- *cd audio*

Canta che ti passa
imparare l'italiano con le canzoni
- *libro*
- *cd audio*

Grammatiche, eserciziari e altri materiali didattici

Grammatica pratica della lingua italiana
esercizi - test - giochi

I pronomi italiani
grammatica - esercizi - giochi

Le preposizioni italiane
grammatica - esercizi - giochi

Grammatica italiana
regole ed esempi d'uso

Verbissimo
tutti i verbi italiani

Giocare con la letteratura
18 unità didattiche su scrittori italiani del '900

Bar Italia
articoli sulla vita italiana per leggere, parlare, scrivere

Cinema italiano - film brevi sottotitolati

No mamma no – La grande occasione (1° liv.)
- *libro di attività*
- *video*

Colpo di testa – La cura (2° liv.)
- *libro di attività*
- *video*

Camera oscura – Doom (3° liv.)
- *libro di attività*
- *video*

Giochi

Parole crociate 1° liv.

Parole crociate 2° liv.

Parole crociate 3° liv.

Letture facili

1° livello - 500 parole

Dov'è Yukio? (libro + audiocass.)

Radio Lina (libro + audiocass.)

Il signor Rigoni (libro + audiocass.)

2° livello - 1000 parole

Fantasmi (libro + audiocass.)

Maschere a Venezia (libro + audiocass.)

Amore in Paradiso (libro + audiocass.)

3° livello - 1500 parole

Mafia, amore e polizia (libro + audiocass.)

Modelle, pistole e mozzarelle (libro + audiocass.)

L'ultimo Caravaggio (libro + audiocass.)

4° livello - 2000 parole

Mediterranea (libro + audiocass.)

Opera! (libro + audiocass.)

Piccole storie d'amore (libro + audiocass.)

5° livello - 2500 parole

Dolce vita (libro + audiocass.)

Un'altra vita (libro + audiocass.)

Alma Edizioni
viale dei Cadorna, 44
50129 Firenze
tel/fax ++39 055476644
almaedi@tin.it
www.almaedizioni.it